マイナビ新書

宗教戦争で世界を読む

島田裕巳

マイナビ新書

はじめに

人類は戦争をくり返してきた。

今も、世界各地で戦争や紛争、あるいは内乱がくり広げられている。2023年にも、パレスチナを実効支配しているイスラム教原理主義の組織「ハマス」が敵対するイスラエルに対して大規模な攻撃を仕掛けるという出来事が起こり、イスラエルによる報復に発展した。世界中でまったく戦争が行われていない時代というものは、おそらく存在しないであろう。

最近「新しい戦前」ということばが流布するようになっているが、人類が戦争をくり返してきた事実を踏まえるならば、いつも戦後であり、次に起こるであろう新たな戦争に対しては戦前であるということになる。

ジョージ・C・コーンによる『世界戦争事典』(鈴木主税訳、河出書房新社)という700頁近い事典がある。この事典におさめられた項目は2000にも及ぶ。個々の戦争のなかには連続したものもあり、数をかぞえるのは難しい作業になるが、少なくとも人類は2000回以上の戦争をくり返してきたことになる。

2000回以上の戦争で果たしてどれだけの犠牲者があったのか、その総数を明らかにするのは不可能である。もっとも熾烈な戦争と言われる「独ソ戦」では、3000万人の犠牲者が出た(大木毅『独ソ戦 絶滅戦争の惨禍』岩波新書)。

独ソ戦の経緯を追ってみるならば、最初は楽観からはじまる。どちらの国も戦争が早期に終了すると考えているのだが、結局は戦闘が長引き、最後は双方を絶滅しなければ終われなくなってしまう。最終的に絶滅戦争へと発展してしまうところが、戦争の本当の恐ろしさでもある。

そこに宗教がからんでくると、事態はより複雑なものになる。「宗教戦争」は、相当に深刻である。

『世界戦争事典』には「宗教戦争」の項目があり、それは第9次にまで及んでいくが、これは、宗教改革をきっかけにヨーロッパ全体を巻き込んだ「ユグノー戦争」以降の戦争をさす。宗教戦争と言ったとき、狭い意味ではこれを意味するが、この宗教戦争は相当に激烈なもので、それ以降のヨーロッパの歴史に暗い影を落とすことにもなった。ヨーロッパ各国は、お互いに殺し合いをしたという過去を持っているのだ。

この本では、この狭義の宗教戦争ではなく、世界中で起こってきた広い意味での宗教戦争を扱うことになる。ただし、何をもって宗教戦争としてとらえるか、その定義はかなり難しい。ハマスとイスラエルの衝突についても、それはイスラム教とユダヤ教の宗教上の対立ととらえられる面もあるわけだが、両者がぶつかり合うに至るまでにはさまざまな経緯がからんでおり、複雑である。今のところ、これを宗教戦争ととらえることは事態をあまりに単純化することになる。

宗教戦争は、おおむね「宗教上の衝突に起因する戦争」（『広辞苑』第五版）ととらえることができるが、信仰だけが戦争を引き起こす原因になっているわけではない。その点については本文のなかで詳しく見ていくことになるが、一見すると宗教とは無縁なものに思えても、実は宗教が深くからんでいる戦争がある。

その典型が、2022年2月に勃発したロシアによるウクライナ侵攻である。そこには宗教はからんでいないようにも思えるだろうが、実はそうではない。ロシアは軍事侵攻を行った理由として西側、とくに北大西洋条約機構（NATO）の脅威をあげる。だが、ソビエト連邦の解体以降にロシア国内で存在感を増してきたロシア正教会の視点に立ってみるならば、それは宗教をめぐる戦いにほかならないのである。

ロシアは2014年にウクライナの領土であったクリミアに侵攻し、そこを実効支配する。すると、ウクライナで大きな勢力を持つウクライナ正教会が、それまでその傘下にあったロシア正教会からの独立を敢行する。ロシアはこれを非難したが、正教会のなかでもっとも権威があるコンスタンティノープル総主教庁がこの独立を認めてしまう。そこで、ロシア正教会はコンスタンティノープル総主教庁との関係を断絶した。

ロシア正教会としては、かつてのウクライナはロシアとともにソビエト連邦に属していたわけで、仲間という意識がある。したがって、ウクライナ正教会の独立は、その絆を断ち切り、自分たちの存在を脅かすものとして受け取られた。そこでロシアのウクライナ侵攻がはじまると、ロシア正教会はそれを積極的に支持した。ウクライナを打ち負かすことで、ウクライナ正教会をふたたびロシア正教会の手に取り戻す。ロシア正教会は、そうした思惑のもと侵攻を支持したのである。

正教会の特徴は、国別民族別に分かれているところにある。その分、国家と密接な関係を持つ。国を支配する権力者は同時に正教会の庇護者でもあるのだ。ロシアのプーチン大統領は、まさにそれを自任し、正教会の動向、あり方に強い関心を持ってきた。侵攻を決断するにあたって、そうした宗教をめぐる状況が大きな影響を与えていた可能性がある。ウクライナ侵攻を宗教戦争としてとらえるのは無謀かもしれないが、宗教が深く絡んでいることは否定できない。

日本人のなかには、日本は多神教の国で、一神教の国に比較して宗教に対して寛容だという見方をする人たちがいる。現代の日本人のほとんどは「無宗教」であり、特定の信仰を持っていないので、宗教をめぐって日本国内では対立は起こらない、あるいは起こってこなかったとも考えられている。

しかし、日本でも宗教をめぐる対立は、歴史のなかでくり返されてきた。日本に仏教がはじめて取り入れられたとき、豪族のあいだで仏教を信仰すべきかどうかで対立が生まれたともされる。仏教の受容に反対した豪族は、仏を信仰するようになると、土着の神々の怒りをかうと主張したのである。これは事実でない可能性もあるが、そうしたエピソードが『日本書紀』に記されていることは重要である。

あるいは、中世においては、比叡山延暦寺や南都（奈良）の興福寺が多くの土地を寄進され、勢力を拡大し、僧兵まで抱える状況が生まれた。京都の都全体の土地は比叡山のものとなり、奈良の土地全体は興福寺のものとなった。延暦寺や興福寺を「寺社勢力」と呼ぶが、寺社勢力は政治的な支配者でもあったのだ。

戦国時代になると、京都の町衆のなかには法華（ほっけ）信仰が広がり、法華宗は比叡山と対立し、宗教一揆として「天文法華の乱」が勃発した。これは、異なる宗教のあいだの宗教戦争ではなく、同じ宗教に属している異なる宗派間の宗教戦争ととらえることができる。この時代、浄土真宗も一向一揆という宗教反乱を引き起こした。

このように、日本も宗教戦争と無縁ではない。鎌倉時代の蒙古襲来を除けば、海外の勢力が日本に攻め込んでくる経験はしていないものの、もし日本に異なる宗教を信仰する海外の勢力が浸透してきたとするなら、そこから激しい宗教戦争が起こる可能性はあった。

宗教戦争は、そこに信仰がからんでくるだけに、戦闘に参加する信仰者には、自分たちの信仰をなんとしても守ろうとする強い動機が生まれ、戦闘に命を賭けようとする気持ちを駆り立てられる。一向一揆など、「欣求浄土（ごんぐじょうど）」の旗を立てて戦った。戦死して浄土に生まれ変われるなら本望だというわけだ。そこに宗教戦争の特徴が示されている。

これから宗教戦争の歴史を扱っていくことになるが、その前提として、世界宗教と民族宗教のことについて見ていかなければならない。というのも、宗教の歴史は、世界宗教が民族宗教を駆逐していくものとしてとらえられるからである。世界宗教が民族宗教を駆逐していく過程では、当然にも暴力がからんでくる。それが宗教戦争へと発展していくことが考えられるし、本格的な宗教戦争は、世界宗教同士のあいだに起こるものなのである。

宗教戦争で世界を読む

目次

第3章　ヨーロッパの宗教戦争

第4章　聖戦という考え方の誕生と変遷

第5章 帝国と国民国家における宗教とその対立

本書で取り上げる主な宗教戦争・騒乱

十字軍遠征
1096～1270年

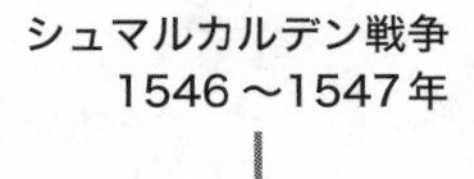

ユグノー戦争
1562～1598年

オランダ独立戦争
1568～1609年

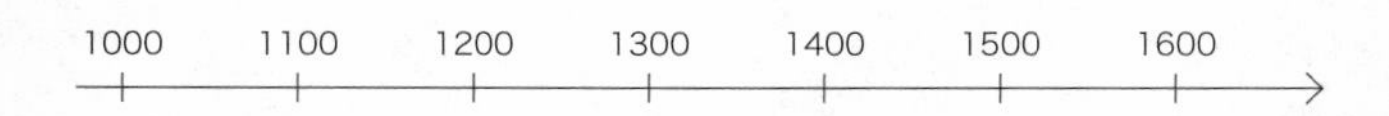

三十年戦争
1618～1648年

フランス革命
1789～1799年

インド・パキスタン戦争
第1次(1947年)、第2次(1965年)、第3次(1971年)

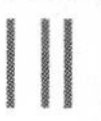

北アイルランド紛争
1960年代後半～1998年

ウクライナ侵攻
2022年～

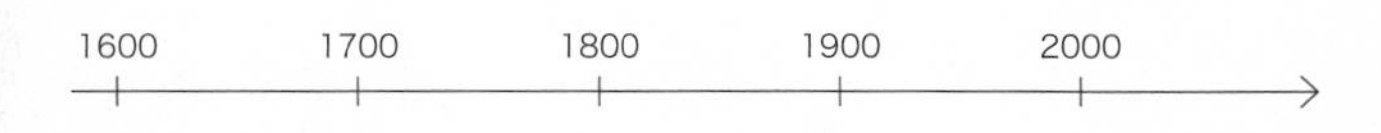

第1章 世界宗教が民族宗教を駆逐する

世界宗教と民族宗教

世界の宗教を見回してみるならば、もっとも信者数が多いのはキリスト教である。アメリカの世論調査機関 Pew Research Center の調査をもとに、キリスト教研究所が推計した資料によると、25・09億人で世界の総人口の31・2パーセントを占めている。

次いで多いのがイスラム教で20・76億人、25・8パーセントである。さらに、ヒンドゥー教が11・92億人で14・8パーセント、無神論が7・9億人で9・8パーセント、仏教が5・17億人で6・4パーセント、民族別の宗教が4・44億人で5・5パーセントである。

こうした統計において難しいのは中国の扱い方である。中国には共産党の政権が成立し、中国共産党は宗教を政治的に管理する政策をとっている。それでも、信仰を持つ人々は少なからず存在し、主たるものは土着の儒教や道教に外

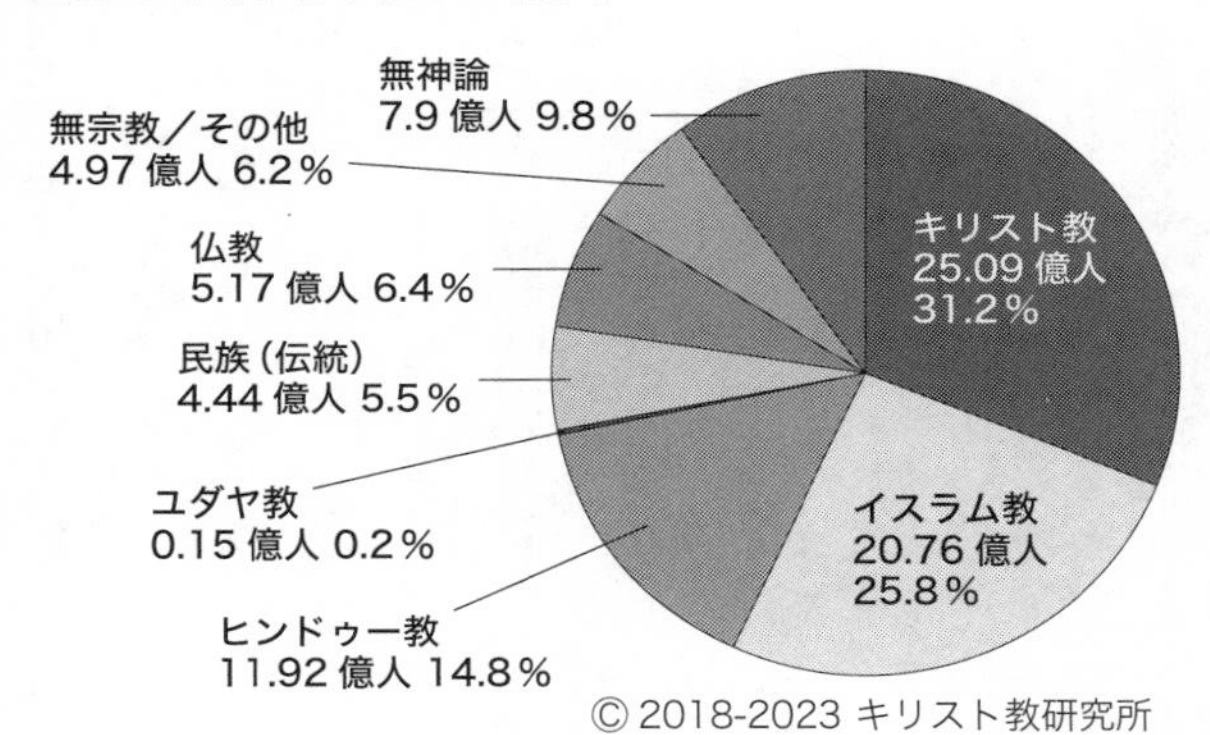

出典：Pew Research Center の調査をもとにキリスト教研究所（https://aikido.mixh.jp/）が推計

来の仏教が混じり合ったもので、それは「中国の民間信仰」ととらえられることもできる。ただ、Pew Research Center では、そうしたとらえ方はしていない。

宗教を分類する際に、一つ有力な方法は、「世界宗教」と「民族宗教」とを区別するものである。

民族宗教は、一つの民族にほぼ限定される宗教で、ユダヤ教や日本の神道、インドのヒンドゥー教や中国の民間信仰がそこに含まれる。

それに対して、一つの民族に限定

されず、国境を超えて広がっていくのが世界宗教である。世界宗教と言えるのは、キリスト教とイスラム教、それに仏教である。仏教は、人口の面では少なく、ヒンドゥー教の半分しかいない。もし、中国の民間信仰というカテゴリーを立てるならば、それよりも少ないだろう。だが、仏教は中国や朝鮮半島、そして日本、あるいは東南アジア、チベットなどにまで広がっており、発祥の地インドには限定されず、世界宗教の性格を持っている。

他にも、かつてはイラン（ペルシア）に発したゾロアスター教やマニ教も世界宗教に発展したが、マニ教は消滅し、ゾロアスター教もイランとインドに少数の信者が残るに過ぎない。世界宗教として十分には発展できなかったと考えられる。

三つの世界宗教

世界宗教に分類されるキリスト教、イスラム教、それに仏教をあわせると、人

世界三大宗教の違い

	仏教	キリスト教	イスラム教
開祖	釈迦	イエス	ムハンマド
発祥年	紀元前５世紀頃	紀元０年頃	610年頃
崇拝対象	諸仏	父なる神	アッラー
教典	仏教経典	聖書	コーラン
戒律	五戒	十戒	シャリーア
施設	寺院	教会	モスク
信者数	5.17億人	25.09億人	20.76億人

口では51・02億人となり、総人口に対する割合では63パーセントとなる。半数をはるかに超える人々が世界宗教の信者なのである。

しかし、歴史を振りかえってみるならば、大昔からそうした状況ではなかった。

世界宗教のうち、もっとも歴史が古いのが仏教であり、その開祖である釈迦が活躍したのは、今から2500年前のこととされる。インドでは、輪廻転生の考え方が強く、歴史には関心がはらわれていない。そのため、古代の歴史書が存在せず、仏教のはじまりについては明確なことが分かっていないのだが、仏教を篤く信仰したアショーカ王の事績などから、仏教のはじまりがいつの時代なのか推測されている。

その後、紀元後にキリスト教が生まれ、ムハンマドが神の啓示を受けてイスラム教をはじめたのは610年頃のこととされる。どの宗教も、すぐに膨大な数の信者を抱えるようになったわけではない。それには相当な時間が必要で、2500年かけて三つの世界宗教が世界を席捲するようになったのである。

仏教がインドに誕生した2500年前を考えてみよう。

仏教もインドに数ある宗教の一つで、釈迦が生きているあいだには、それほど広がりを見せたわけではない。他の地域になれば、それぞれに独自な民族宗教があるだけだった。信仰は存在しても、大きな集団を形成するような宗教はどこにも存在しなかったことになる。

その時代と比較したとき、宗教をめぐる2500年間の変化は著しい。

2500年という時間は、私たち個人の人生からすれば、実に膨大な時間になる。しかし、人類がチンパンジーと分かれ、独自の進化をはじめたのが500万年前のこととされる。ホモサピエンスの誕生は、およそ20万年前のことである。20万年と2500年を比べれば80倍の差がある。その点では、人類の歴史のなかで世界宗教の誕生は、極めて新しい出来事である。

拙著『帝国と宗教』（講談社現代新書）で述べたように、世界宗教の拡大には、勃興をくり返してきた帝国の果たした役割が極めて大きい。

キリスト教は、ユダヤ教という民族宗教に発するもので、当初はその改革運動としての性格を持っていた。

イエス・キリストの死後に弟子になったパウロも、イエスと同様にユダヤ人だったが、ローマ帝国の版図のなかで、復活したイエスについての信仰を、ユダヤ人以外に広めていく上で大きく貢献した。

ローマ帝国では、ユダヤ教もキリスト教も迫害された。ユダヤ教の場合、それを信仰するユダヤ人が国を失い、信仰生活の中心にあった神殿を破壊されることで、神殿の宗教から法の宗教へ大きく転換せざるを得なかった。そのなかで、民族としてのアイデンティティを守るために、安息日の労働を禁止し、割礼を義務づけた。これによって、ユダヤ人は自分たちこそが神によって選ばれた民であるという自覚を持つことができたが、それが迫害を受ける原因にもなった。

一方、キリスト教の場合には、一般にローマ帝国によって強制された皇帝崇拝を拒否したことで迫害を受けたとされる。ただ、実際にそれが原因だったのか、専門家も事実と断定はしていない（たとえば、松本宣郎『ガリラヤからローマへ 地中海世界をかえたキリスト教徒』講談社学術文庫を参照）。

迫害の原因はともかく、２８４年に即位したディオクレティアヌス帝の時代にそれはピークを迎えた。キリスト教会の側は、多くの殉教者が生まれたとし、そうした信仰者を「聖人」として崇敬の対象にするようになる。そして、コンスタンティヌス1世が313年に「ミラノ勅令」を発して、キリスト教の布教を許し、これによって迫害はなくなった。

それ以降、キリスト教はローマ帝国の国教として帝国のなかに広がっていく。ローマ帝国自体は395年に東西に分裂し、西ローマ帝国の方は100年も持たず、476年には滅亡してしまう。だが、東ローマ帝国の方は、ビザンツ（ビザンティン）帝国として、1453年まで1000年以上にわたって存続した。

西の地域については、西ローマ帝国自体は滅亡したものの、帝国に由来する政府や諸機関、諸制度はそのまま維持され、東ローマ帝国の管轄下におかれた。しかも、ローマ帝国を再興しようとする気運は消えることなく、フランク王国や神聖ローマ帝国が誕生していく。

こうした西ローマ帝国の継承国家のなかで、カトリック教会がその勢力を拡大していった。一方、ビザンツ帝国においては、東方正教会の信仰が広がりを見せていった。大航海時代以降になると、カトリック教会は海外への宣教活動に力を入れるようになり、とくに中南米に信仰圏を拡大した。それを先導したのが、海洋帝国となったスペイン、ポルトガルであった。そして、北米にはカトリックから分かれたプロテスタントの信仰が広まった。そこには、やはり海洋帝国である大英帝国の強い影響があった。

イスラム教であれば、イスラム帝国が次々と生み出され、その版図が広がることがイスラム教を拡大することに結びついた。そこには、キリスト教とは異なるイスラム教の性格が関係している。

ユダヤ教、キリスト教、イスラム教の相違点

イスラム教の信仰の核心にあるのはイスラム法である。イスラム法は、神の啓示である『コーラン』と、その啓示を受けた預言者ムハンマドの言行録である

『ハディース』を基盤としており、それに従って生活することがイスラム教徒に求められる。

これは、ユダヤ教におけるユダヤ法の影響を受けたもので、そうした宗教法が発展しなかったキリスト教とはあり方に大きな違いがある。イスラム法は「シャリーア」、ユダヤ法は「ハラハー」と呼ばれるが、これに相当するキリスト法は存在しない。

それも、当初のキリスト教は、最後の審判が切迫しており、その際にはキリストが再臨するという信仰が中心になっていたからだ。世の終わりが迫っている以上、現世における生活は意味を持たないわけで、そこにキリスト教において宗教法が発展しなかった根本的な原因がある。

ユダヤ教は民族宗教の枠に留まったが、イスラム教はアラブ人以外にも信仰が広まっていった。シャリーアは、いかにして礼拝を行うか、あるいはそのためにいかに浄めるかといった宗教的な行為だけではなく、結婚や契約など日常の生活

ユダヤ教、キリスト教、イスラム教の違い

	ユダヤ教	キリスト教	イスラム教
開祖	モーセ	イエス	ムハンマド
発祥年	紀元前6世紀	紀元0年頃	610年頃
経典	タナハ、タルムード	旧約・新約聖書	コーラン、ハディース
聖地	エルサレム	エルサレム、ローマ	メッカ、メディナ、エルサレム
施設	シナゴーグ	教会	モスク
信者数	1500万人	25.09億人	20.76億人

を規定する内容を含んでいる。そうである以上、同じ法のもとに生活する人間を増やすことが不可欠であり、それが信仰を拡大していく原動力となった。

イスラム教を信仰する人々の共同体を「ウンマ」と呼ぶが、イスラム帝国はウンマの拡大に力を入れた。そして、ウンマが支配的な地域を「平和の家」、そうでない地域を「戦争の家」として区別した。

キリスト教の場合には、イエス・キリストの教えである「福音」を伝える宣教という行為が重視され、それを専

門に担う宣教師が登場した。宣教師は、世俗の世界から離れた聖職者であり、だからこそ宣教活動に専念できた。

ところが、イスラム教の場合には、神のもとでの徹底した平等が理念であり、そうした聖職者は生まれなかった。したがって、宣教師は存在しない。

それに、イスラム帝国は、帝国の住人をすべてイスラム教に改宗させる政策をとらなかった。ユダヤ教徒とキリスト教徒については、同じ神の啓示を受け継ぐ者として「啓典の民」ととらえ、イスラム教徒よりも税金を多く支払いさえすれば、信仰を認めるという姿勢をとった。これは、税金を支払いたくないがための改宗を促すことにもつながったが、キリスト教世界で差別されたユダヤ人には好ましい制度であった。

インドとその周辺の国、パキスタンやバングラデシュには多くのイスラム教徒が生活しているが、それも、インドにイスラム帝国の一つであるムガル帝国が成立したからである。

民族宗教を駆逐していった世界宗教

このように、キリスト教とイスラム教の拡大には、帝国の存在が大きく貢献したわけだが、同じ世界宗教でも、仏教の場合には、帝国によってその勢力が拡大したわけではなかった。

ただ、仏教にはキリスト教と同様に、聖職者がいる。僧侶である。僧侶は出家であり、信者の布施によって生活が支えられているので、宗教活動に専念できる。僧侶は、経典を携え、まだ仏教の信仰が伝えられていない地域に赴き、教えを説くことで信者を獲得していった。

僧侶になるには出家の必要があり、それは世俗の生活を捨てることを意味する。その点では敷居が高く、それは仏教の信者の数を限定することになった。一般の民衆が求めたのは、もっと手軽な信仰であり、その際には、仏舎利を信仰の対象にすることが手段として用いられた。仏舎利は死後に火葬された釈迦の遺骨であり、それを祀る仏塔が建てられ、仏舎利信仰、仏塔信仰が仏教の信者を拡大することに貢献した。

インドに発した仏教が広がっていった中央アジアや東南アジアは、それ以前には民族宗教しかなく、仏教の信仰がそれを圧倒する形で広まっていった。中国になると、土着の道教や儒教がすでに存在したわけで、廃仏という事態もくり返されるが、仏教は道教や儒教と習合、融合する形で浸透していった。

こうした形で世界宗教は広まっていったが、その過程で、拡大の対象となった地域に存在した民族宗教は次第に駆逐されていった。

そのもっとも劇的な例はイスラム教の場合である。預言者ムハンマドは630年にメッカを占領すると、太古から存在していたとされるカアバ神殿に安置されていた各部族が信仰する360の神像を一掃してしまったとされる。当初の段階で、ムハンマド率いるイスラムの勢力がもっとも敵対視したのが土着の多神教徒であった。

『コーラン』の第9章の5節から11節には、「それで諸聖月が過ぎたら、多神教徒たちを見出し次第殺し、捕らえ、包囲し、あらゆる道で彼らを待ちうけよ」とある。相当に過激なことばで、今日ではイスラム教の危険性を示すものとしても受け取られているが、その後には、「だが、もし彼らが悔いて戻り、礼拝を遵守し、浄財を払うなら、彼らの道を空けよ。まことにアッラーはよく赦し給う慈悲深い御方」（中田考監修『日亜対訳クルアーン』作品社）とあり、殺害が目的でないことが示されている。それだけ、イスラム教が生まれた段階では、周囲の多神教徒との軋轢（あつれき）が大きかったことになる。

もう一つ、世界宗教が強圧的な形で民族宗教を駆逐していった例としては、ペルーのインカ帝国を征服したピサロに同行したカトリックの聖職者が、インカの首領と相対したとき、洗礼を受けてキリスト教に改宗すれば庇護を与えるが、それを拒んだ場合には厳しい戦いを仕掛けると宣言したことがあげられる。

ヨーロッパ人としてはじめて北米に到達したコロンブスの場合もそうだが、アメリカ大陸にむかった人間たちは、キリスト教を布教することを重要な目的としていた。キリスト教こそが正しい信仰であり、それを知らない現地の人間を無理にでも改宗させることが、高度な文明をもたらすことになると信じていた。

しかし、自分たちが絶対的に正しいと信じていた分、ヨーロッパの人間たちは高圧的で、信仰を強制することに躊躇がなかった。ヨーロッパの人間が、南米に未知の感染症を持ちこんだこともあいまって、大規模な破壊と収奪が行われ、結局は、キリスト教への改宗が進められた。

民族宗教を取り込んでいった世界宗教

ただ、民族宗教の側の抵抗とも思える出来事も起こっている。

1531年、キリスト教に改宗して間もないメキシコ人のもとに聖母マリアが出現し、大聖堂を建設するよう要求する出来事が起こる。これがグアダルーペの聖母を祀る大聖堂に発展するが、聖母が現れた場所は、土着の女神、トナンツィンと関係するところだった。つまり、土着の神が聖母に姿を変えたのであって、それは土着の信仰がキリスト教の信仰の枠のなかに取り込まれたことを意味した。あるいは、形を変えて生き残ったとも言える。

世界宗教が民族宗教を駆逐していく過程は、世界宗教が民族宗教をその枠のなかに取り込んでいく形でも進行していくのだ。

その分かりやすい例としては、キリスト教のクリスマスがあげられる。

イエス・キリストの事績については新約聖書の各福音書に記されているわけだが、福音書のどこを見ても、イエスが生まれた日についての言及はない。そもそも福音書には季節が示されていない。

したがって、2世紀の半ばに生まれ、3世紀のはじめまで生存したキリスト教の神学者、アレクサンドリアのクレメンスは、イエスの生誕を5月20日と推測した。だが、この日はキリスト教会に受け入れられなかった。

キリスト教はローマ帝国で公認されることで拡大していくわけだが、その当時、ライバルとなる宗教がいくつも存在した。その一つが、インドやイランで栄えたミトラ（ミトラス）教で、世界的な宗教史家のミルチア・エリアーデも、ミトラ教がキリスト教の最大のライバルであったとしている（『世界宗教史4』柴田史子訳、ちくま学芸文庫）。

そのミトラ教においては、12月25日を太陽を崇拝する日と定め、ローマ帝国のアウレリアヌス帝も、この日を「不滅の太陽の誕生・顕現の日」として国家の祭典とした。キリスト教は、ミトラ教に対抗するため、12月25日を「正義の太陽」であるイエスが降誕した日と定めた。それが、キリスト教が進出した各地域に広がっていったのである。

ミトラ教は、キリスト教に対抗する力を有しており、その点では世界宗教へと発展する可能性を持っていた。ミトラ教の主神はミトラであり、それは太陽神だった。その点で、12月25日は、ミトラ教において主神を祀る最重要な日であったことになる。それをキリスト教は、イエスの生誕の日に転換することで、ミトラ教の信仰を取り込み、ミトラ教よりも優位な立場を確立していった。

キリスト教でもイスラム教でも、聖人に対する信仰はかなりの広がりを持っている。どちらも一神教であり、本来の信仰対象は唯一絶対の神だけのはずである。ところが、時代を経るにつれて、どちらの宗教においても、聖人に対する信仰が生まれ、それは重要性を増していった。カトリック教会では、神への信仰と区別するために、それを「聖人崇敬」と呼ぶが、聖人の聖遺物はそれぞれの教会の祭壇の下に安置され、そこで営まれるミサの神聖性を保証する役割を果たした。正教会でも事情は同じで、聖遺物は「不朽体」と呼ばれる。

イスラム教の場合にも、さまざまな人物が聖人として信仰の対象になるが、具体的には聖人が葬られた墓、霊廟が参詣の対象になってきた。イスラム教は、多神教を徹底して否定することに重きをおいたわけだが、地域における神々の信仰を聖人への信仰として取り込んでいったと見ることもできる。

日本の場合には、土着の神道の信仰が存在するなかで、朝鮮半島から外来の仏教を取り入れることとなった。神道には教えもなく、その信仰のあり方は素朴なものであったが、日本に取り入れられた時点で、仏教はすでにその誕生以来１０００年の歳月を経過しており、とくに日本に伝えられたのは高度な宗教哲学へと発展した大乗仏教だった。

百済の聖明王から仏像を贈られた欽明天皇は、その見事さに感銘を受けたと伝えられるが、土偶や埴輪しか知らない日本人には、金色に輝く金銅仏ははるかに洗練されたものとして映った。仏教は高度な文明の象徴であり、世界宗教としての仏教は民族宗教としての神道を圧倒したのである。

そして、仏教の受容が進んでいくと、神道と仏教が習合する「神仏習合」の事態が生まれ、それが浸透した。その際に、「本地垂迹（ほんじすいじゃく）」の考え方が生み出された。

これは、仏が本地であり、日本の神々はその垂迹（仏や菩薩が人々を救うため、日本の神や人間など仮の姿をとって現れること）であるという考え方だが、本地とは本来の姿の意味であり、その点で、仏教を優位とするものであった。

これも、神道という民族宗教における信仰対象を、世界宗教としての仏教の枠組みのなかに取り込んでいった事例にほかならない。神仏習合の時代には、それぞれの神社を管理したのは別当と呼ばれる仏教寺院で、そこに属する僧侶たちが神前で読経することが当たり前に行われていた。

世界宗教と民族宗教のあいだで宗教戦争は起こらない

民族宗教は、「自然宗教」と呼ばれることもある。それは、世界の各地に自然発生した宗教であり、特定の教祖、創唱者は存在していない。教祖は教えを説くことになるが、そうした教祖がいなければ教えは生まれない。

したがって、民族宗教としての神道には教えというものが存在していない。教えがなければ、それを記した教典も生まれることがない。神道の教えや教典は何かと考えてみても、思いつかないはずである。

それに対して、世界宗教は「創唱宗教」とも言われ、創唱者が存在する。仏教なら釈迦が創唱者になり、その教えを記したものが仏典になる。釈迦の実像は必ずしも確かなものとは言えないが、かつては膨大な数存在する仏典は、すべて釈迦が説いたものとされていた。

このように、民族宗教と世界宗教では、そのあり方は根本的に違う。教えの有無は決定的で、そこに世界宗教が民族宗教を圧倒する根本的な要因がある。世界宗教が民族宗教を包摂していくことは可能でも、逆は成り立ちようがない。かくして、世界宗教が民族宗教を駆逐し、今日のような状況が生み出されてきたことになる。

世界宗教と民族宗教では、力の面で圧倒的な差がある。世界宗教は、信者によって構成される教団などの組織があり、その点でも民族宗教とは異なる。それだけ大きな力の差がある以上、世界宗教と民族宗教のあいだで宗教戦争は起こり得ない。戦争に発展する前に、民族宗教は世界宗教に呑み込まれてしまうのである。

世界宗教は民族宗教を駆逐することで、その力をさらに高めていく。キリスト教の立場からすれば異教の祭をクリスマスとして取り込んでいったことで、キリスト教は極めて重要な祝日を手に入れることができたのだ。

とくにそれは、キリスト教とユダヤ教の関係に示されている。

キリスト教の聖典は聖書だが、それは旧約聖書と新約聖書に分かれている。新約聖書はイエスの事績を記した福音書などからなり、キリスト教だけの聖典で、ユダヤ教ではそれを聖典と認めていない。

ところが旧約聖書は、もともとはユダヤ教の聖典である。ユダヤ教では、正典としてトーラーをもっとも重視するが、これは「モーセ五書」とも呼ばれ、旧約聖書でいけば最初の五つの文書を示している。それ以外の旧約聖書におさめられた文書も、すべてユダヤ教の聖典である。ただ、分類や配列の仕方が二つの宗教では異なっている。

重要なのは、ユダヤ教の聖典にはユダヤ民族の歴史がつづられていることである。それが実際の歴史を示したものかどうかという点はたしかに怪しい。モーセなど、その事績を含め、神話上の存在としてしか考えられないからである。

だが、そこに記されたユダヤ民族の歴史は、キリスト教に受け継がれ、人類そのものの歴史としてとらえられるようになった。さらにそれは、イスラム教にも受け継がれた。ユダヤ民族の歴史がアラブ民族の歴史と重ね合わされるようになっていったのである。

これは、言ってみれば、日本の神話が周辺諸国にそのまま受け入れられるような事態と同じである。伊邪那岐命（いざなきのみこと）と伊邪那美命（いざなみのみこと）の国生みが、そのまま中国や朝鮮半島の国土形成の物語として受け入れられるということであり、そうしたことは起こらなかった。

ところが、ユダヤ民族の歴史は、キリスト教やイスラム教が広がった地域において、人類そのものの歴史としてとらえられるようになった。アダムとイブが最初の人類であるということは、あくまでユダヤ民族が語ったことであり、本来そこには普遍性はなかったはずなのにである。

考えてみれば、これは不思議なことである。それに、あまり意識されてはいない。だがこれも、世界宗教が民族宗教を取り込んでいった極めて重要な事例としてとらえることができる。それほど、世界宗教の力は圧倒的なのである。

世界宗教と民族宗教では、このように力の差はあまりにも大きく、そのあいだに宗教戦争は起こらなかった。宗教戦争は、世界宗教同士のあいだで、あるいは世界宗教の内部に生まれた宗派のあいだで勃発するようになる。次の章では、そのはじまりとして十字軍のことを取り上げることとする。

第2章

十字軍──キリスト教とイスラム教の宗教戦争

仏教とキリスト教、イスラム教は対立しなかった

前の章で見たように、世界における宗教の歩みは、世界宗教が台頭し、民族宗教を駆逐していく過程としてとらえることができる。今や、世界の人々の3分の2は、仏教、キリスト教、イスラム教という世界宗教の信者なのである。

世界宗教は、民族の壁、国家の壁を超えて広がりを見せていく。となると、どこかで二つの世界宗教が衝突する場面が生まれる可能性がある。

仏教の場合には、インドに発祥し、中央アジアには進出したものの、広がった地域はほとんどがインドから東の地域であり、キリスト教やイスラム教と接触するのはかなり後の段階になってからである。

ただ、キリスト教の場合、イエス・キリストの弟子である十二使徒の一人、トマスはインドで布教活動を行ったと伝えられる。それは、新約聖書の外典（新約聖書が編纂されるときにそこに含まれなかった文書）の一つ「トマスによる福音

書」に記されたことで、伝説の域を出ない。紀元1世紀にはインドにもユダヤ人のコミュニティが生まれ、そこにキリスト教徒がいたともされる。だが、キリスト教のインドへの本格的な進出は15世紀半ばからの大航海時代になってからである。

それに比較したとき、イスラム教の方がインドへの本格的な進出は早い。というのも、1206年には、インドにおける最初のイスラム政権である奴隷王朝が誕生し、それ以降もイスラム政権が続き、ムガル帝国が成立するに至るからである。1526年にムガル帝国が成立する時点では、インド国内の仏教は勢力が著しく衰え、すでに消滅していた。したがって、仏教がイスラム教やキリスト教と対立し、宗教戦争にまで至る事態は起こらなかった。

では、キリスト教とイスラム教ではどうなのだろうか。

東西に分かれたキリスト教

これは宗教全般に言えることかもしれないが、キリスト教のはじまりをどこに求めるかは意外に難しい。イエス・キリストの教えからはじまるとするのが一般的な理解だが、それがそのままキリスト教の教義になったわけではない。キリスト教のもっとも基本的な教義は、神と神の子イエス、そして聖霊は位格としては異なるが、本質的に一つであるという「三位一体説」である。この教義が確立されるのは4世紀末のことである。

はっきりしているのは、イエス自身が三位一体説を説いたわけではないということである。しかも、イエスはユダヤ人で、十二使徒も皆ユダヤ人だった。したがって、初期のキリスト教は、その母体となったユダヤ教と明確には区別されていなかった。ただ、ユダヤ教徒は自分たちが神によって選ばれた民である証として、男子の生殖器の先端を切り取る割礼を課したのに対して、キリスト教は入信の証として、聖水をふりかける洗礼を選択した。それによってユダヤ教徒とキリスト教徒とは区別されることになり、最後の審判の到来とその際のキリストの再臨を説くキリスト教はローマ帝国のなかで拡大していった。

当初のキリスト教は、世の終わりが近づいていることを信仰の前提としていた。それが体制の崩壊に結びつくため、ローマ帝国において、今日で言えば「カルト」と見なされ、迫害を受け、多くの殉教者を出した。殉教は天国に召される絶対的な条件とされ、キリスト教の信者に待望されたこともあり、殉教者の増大に結びついた。

しかし、ローマ帝国の側にも、広大な版図を治める上で、唯一絶対の神を信仰するキリスト教が役立つと判断され、信仰は公認され、やがてはローマ帝国の国教としての役割を果たすようになる。これによって、広大なローマ帝国の版図にキリスト教が拡大していくことになる。

ローマ帝国は、ローマを中心に地中海沿岸に版図を広げた。ヨーロッパはイギリスを含めた南の地域がそこに含まれた。東はカスピ海や中東の地域にも及び、アフリカの北部もその勢力下におかれた。

帝国は、国民国家などの近代的な国家とは異なり、国境が定まっていない。その勢力が拡大した最先端の部分が、帝国とその外側の領域とを分けることになるが、帝国の支配や統治機構も、周辺部分では十分には機能しない。

そうしたこともあり、ローマ帝国のなかで、キリスト教がどれだけ浸透していたのか、その判断は難しい。303年にディオクレティアヌス帝のもとでの大迫害が起こる前の時点では、キリスト教徒の割合は帝国の人口の1割、500〜600万人にまで増加していたと推定される（松本宣郎『キリスト教の歴史1　初期キリスト教〜宗教改革』山川出版社、80頁）。

帝国は世界宗教を拡大することに大きく貢献し、それはとくにキリスト教とイスラム教にあてはまるが、当然のことながら、一気に帝国の住民がキリスト教やイスラム教に改宗するわけではない。しかも、キリスト教の場合、ローマ帝国内には、ミトラ教やマニ教といったライバルとなる宗教もあった。

さらに、キリスト教の内部には、次々と異端も生まれていった。それも、三位一体説などの教義がまだ十分な形で確立されていなかったからで、イエスの位置づけなどをめぐって異なる立場をとる勢力が相争った。そして、325年の第1ニカイア公会議から公会議がくり返し開催されることで、正統となる教義と異端とが区別されていったが、異端とされた勢力がすぐに消滅するわけではなかった。ネストリウス派も異端の一つだが、中国にまで信仰を広げ、「景教」と呼ばれたことはよく知られている。

その後、ローマ帝国は東西に分裂し、西ローマ帝国と東ローマ帝国に分かれる。ただ、西ローマ帝国の方はすぐに滅んでしまう。それでも東ローマ帝国は、ビザンツ帝国と呼ばれることが多いが、1000年以上にわたって存続する。ただし、すでに述べたように、西ローマ帝国の版図だった西ヨーロッパでは、西ローマ帝国滅亡後も、その地域において帝国の政治制度は存続し、東ローマ帝国の力も及

ローマ・カトリック教会と東方正教会の違い

	ローマ・カトリック	東方正教会
最高指導者	ローマ教皇	――――
聖職者	司祭（神父）	司祭
概要	教会（教皇）中心、聖人崇拝	典礼中心、神秘主義的な傾向
組織形態	単一の世界組織	国別民族別の組織
信者数	約13億人	約3億人

んでいた。さらには、西ローマ帝国を再興しようとする動きもあり、実際、神聖ローマ帝国などが誕生している。

ローマ帝国の東西への分裂は、キリスト教の教会のあり方にも大きな影響を与えた。徐々にではあるが、信仰に違いが生まれ、やがて西のローマ・カトリック教会と東の正教会に分かれていくことになる。東西に教会が正式に分かれるのは、１０５４年の相互破門によってだが、それ以前の段階でも、地域が離れていたため、信仰内容や教会のあり方は東と西で次第に異なるものとなっていったのだ。

当初はなかったキリスト教とイスラム教の対立

重要なことは、キリスト教の教会が西と東で分かれていくあいだで、イスラム教が出現したことである。

イスラム教を開いたのはアラブのクライシュ族の出身で、メッカに生まれたムハンマドだった。ムハンマドは商人の家に生まれ、自らも商人として活動していたが、中年期にさしかかって悩みを抱えるようになり、洞窟にこもって瞑想をしていた。そのムハンマドのもとに天使が現れ、神の啓示を伝えたのが610年頃のこととされる。

イスラム教が出現した7世紀前後の西アジア、地中海世界には、ペルシアのゾロアスター教やユダヤ教、そしてキリスト教が広がりを見せており、それはアラビア半島にまで及んでいた。もっとも古いムハンマドの伝記である『預言者伝』の著者、イブン・イスハークは、そのなかで、シリア南部のブスラーという町のキリスト教修道士が、隊商に従ってきたまだ少年のムハンマドに会い、その背中に「預言者の徴（しるし）」を見つけたという説話を語っている（佐藤次高編『イスラームの歴史1　イスラームの創始と展開』山川出版社、15頁）。

ただし、ムハンマドが敵視したのは多神教であった。現在、巡礼のためにイスラム教徒が訪れるメッカのカアバ神殿は、イスラム教が出現する以前からあるもので、それぞれの部族が神像を祀っていた。ムハンマドは、３６０体の神像をすべて破壊したと言われている。

逆に、ユダヤ教やキリスト教については、ムハンマドは敵視しなかった。というのも、ムハンマドは、ユダヤ教のアブラハムやモーセ、キリスト教のイエスなどは自らが信仰する神から啓示を下されたととらえたからである。ムハンマドは、ユダヤ教徒やキリスト教徒を同じ神を信仰しているという意味で、「啓典の民」と呼んだ。多神教徒と一神教徒とは明確に区別され、啓典の民は人頭税を支払いさえすれば、それぞれの信仰を保ち続けることが許されたのである。

第1章で、ユダヤ教の教典であるトーラー（キリスト教はそれを旧約聖書に取り込んだ）に記されたユダヤ民族の歴史が、キリスト教やイスラム教の広がった地域において、人類の歴史そのものとして受容されたことにふれた。その点で、ユダヤ教やキリスト教、そしてイスラム教は、強い結びつきを持つことになり、それがイスラム教における啓典の民の概念を生むことにもつながった。

ムハンマドは、トーラーの冒頭におさめられた「創世記」に登場するアブラハムを信仰上の模範として高く評価しているし、信者の生活を律するイスラム法（シャリーア）も、ユダヤ教のユダヤ法（ハラハー）の強い影響を受けてきた。イスラム教徒が豚を食べることを戒められていることはよく知られているが、それもハラハーの影響によってである。

イスラム教が広がりを見せていくのは、ムハンマドの時代からである。最初の啓示の後、ムハンマドには次々と啓示が下され、それは彼が亡くなるまで続く。その啓示の価値を最初に認めたのが年上の妻だったハディージャで、最初の信者とされる。ムハンマドは、それ以降、啓示を認めない人間たちと戦い、信仰を広げていった。それは、ムハンマドが亡くなり、その後継者となった正統カリフの時代にも続き、さらには、最初のイスラム帝国となったウマイヤ朝に受け継がれた。

ムハンマドの時代、イスラム帝国の版図はアラビア半島に留まっていたが、その後、帝国はエジプトやペルシア、中央アジア、北アフリカ、さらにはイベリア半島にまで及んでいった。

したがって、イスラム帝国の版図には、ローマ帝国によって支配された地域もかなり含まれていた。しかし、イスラム教が啓典の民としてユダヤ教徒やキリスト教徒を仲間として扱ったためか、イスラム教徒とのあいだで対立が起こり、それが抗争に発展したとは伝えられていない。

イスラム教のやり方は、ユダヤ教徒やキリスト教徒に改宗を強制するものではなく、かなり巧妙なものだった。ウマイヤ朝時代にはまだ、イスラム教への改宗者は「二級ムスリム」として扱われ、人頭税を支払わなければならなかった。これでは当然にも、改宗者の不満は募り、それがウマイヤ朝が打倒され、アッバース朝が生まれる原因ともなった。アッバース朝では、改宗者が二級ムスリムの扱いを受けることはなかった。

啓典の民であれば、自分たちの信仰を守り続けることができるわけだが、人頭税の支払いは必要である。そうなると、税の支払いを免れようとして、イスラム教へ改宗する人間も出てくる。その結果、徐々にイスラム帝国内においてイスラム教徒が増加していった。

イスラム帝国において、キリスト教徒のイスラム教への改宗が強制されたら、イスラム教徒とキリスト教徒のあいだで対立が起こっていたかもしれない。だが、イスラム教の側の戦略によって、それは回避された。

三つに分別される一神教の世界

こうしてかつてローマ帝国によって支配されていた地域にも、イスラム教がその勢力を拡大していくことになるのだが、イスラム教への改宗が進んだ背景には、もう一つ、この二つの宗教のあり方の違いが影響していた可能性が考えられる。

キリスト教の場合、次第に原罪の教義が確立され、信者は自らが罪深い存在であることを自覚するよう求められ、こころのあり方が重視された。そうした宗教であれば、信者は自分だけが信仰を持てばいいわけで、必ずしも仲間の信者を必要としない。ただこれも、教会の制度が発展を見せることで、そこには同じ信仰を持つ仲間同士のコミュニティが形成され、それが個々の人間の信仰を支える役割を果たすようになる。その面はあったとしても、コミュニティがなければ信仰を持てないわけではなかった。

それに対して、イスラム教の場合には、シャリーアという宗教法が重要であり、それは、神の啓示を集めた『コーラン』と、ムハンマドの言動についての伝承を集めた『ハディース』にもとづく。シャリーアは、イスラム教徒の生活を成り立たせるオペレーティング・システム（OS）であり、社会性を必須とする。つまり、シャリーアに従った生活を実現するには、それをともに守り通すコミュニティの存在を不可欠とするのだ。

したがって、イスラム化とは、たんにイスラム教徒の増加を意味するだけではなく、社会生活全般がシャリーアによって営まれるようになることを意味する。それがイスラム教への改宗を促進させることに結びついた。シャリーアには、ムハンマドが商人であったことを反映し、商売のやり方についての規定も含まれるが、商売を円滑に進めるためには、同じイスラム教徒同士で行った方が好ましく、スムーズに行く。イスラム教が商人の手によって広がっていったのも、それが関係していた。

しかも、いったんイスラム教に改宗すれば、シャリーアによって律せられた社会のメンバーになるわけで、そこから離脱することは、多くの不利益を被る可能性がある。イスラム教への改宗が行われると、他の宗教に再び改宗することがほとんど起こらないのも、これが関係している。

ただそれでも、イスラム教が広がった地域において、キリスト教の信仰を持ち続けた人々もいた。コンスタンティノープル（現在のイスタンブール）などの正教会の信者の場合もそうだが、エジプトを中心に広がったコプト教会やシリア教会、エチオピア教会などである。こうした教会は「非カルケドン派正教会」と呼ばれる。451年に開かれたカルケドン公会議で、キリストには神性と人性の二つがあるとする両性説を唱えたことで異端とされた人々によって構成された教会である。

イスラム教が台頭してから、一神教の世界は、主に三つの世界に分割された。一つはヨーロッパの西に広がったローマ・カトリック教会の世界だが、もっとも西に位置するイベリア半島には8世紀以降イスラム教の勢力が浸透していた。

もう一つがビザンツ帝国の正教会で、988年にはキーウ（現在のウクライナ）で大公だったウラジミール1世が正教会の信仰を取り入れたことで、やがて正教会がロシアにも広がっていくきっかけが生まれていた。

そして、最後の一つとして、中東を中心にイスラム教が広がりを見せていた。

そうしたなかで起こるのが、宗教戦争の代表とされる十字軍である。ローマ教皇のウルバヌス2世の呼びかけで、十字軍がはじめて召集されたのは1095年のことだった。

一般に十字軍は、イスラム教勢力の支配下におかれるようになったエルサレムを、キリスト教側が奪還する試みであったとされる。事実、第1回の十字軍はそれに成功し、エルサレム王国をはじめ、エデッサ伯国、アンティオキア公国、トリポリ伯国といった「十字軍国家」が建設された。

この結果からすれば、十字軍の目的は、エルサレムを中心とした領土の奪還であるように思える。しかし、ウルバヌス2世が十字軍を召集した際には、十字軍ということばは使われておらず、その試みは「旅」、ないしは「巡礼」と呼ばれた。この呼び方が何を意味するか、私たちはそれを見ていく必要がある。

ユダヤ教、イスラム教にとってのエルサレム

エルサレムが、三つの一神教、それぞれの聖地であることはよく知られている。ユダヤ教徒にとって、エルサレムはかつて存在したユダ王国の首都であり、神殿が建てられていた。最初に建てられた第1神殿は、新バビロニアによってユダ王国が滅ぼされた際に破壊されている。

その後、バビロン捕囚から戻ったユダヤ教徒によって第2神殿が再建されるが、これも、西暦66年に起こったユダヤ戦争においてユダヤ側が敗北したことで、70年には破壊されている。それ以降、神殿が再建されることはなく、神殿の壁が遺構として残った。それが、現在でもユダヤ教徒が祈りを捧げる「嘆きの壁」と

なっている。

第2次世界大戦後、ユダヤ人の国家としてイスラエルが建国される。当初、エルサレムの旧市街を含む東エルサレムはヨルダンが保有したが、1967年の第3次中東戦争で、イスラエル軍は東エルサレムに進軍し、イスラエルが実効支配するようになる。

キリスト教徒にとってのエルサレムについては後に述べることにするが、イスラム教徒にとってもエルサレムは聖地である。

イスラム教は、預言者ムハンマドが神からの啓示を受けたことからはじまるわけだが、ムハンマド自身は、自分たちの信仰はアブラハムから発するとしていた。「創世記」に登場するアブラハムは、高齢になってようやく授かった子どもが育ち上がったとき、神からその子を犠牲にするよう求められる。アブラハムは、神の命令に逆らうことも、疑問を呈することもなく、子どものイサクを連れて山に登り、犠牲に供しようとした。神はアブラハムの信仰を試したのであって、そこで子どもを犠牲にすることは中止される。そのことを踏まえ、ムハンマドはアブラハムを信仰上の模範ととらえ、神への絶対的な服従を意味するイスラム教の信仰はアブラハムからはじまるとした。

この点でも、イスラム教はユダヤ教の影響を強く受けているわけで、イスラム教が誕生した初期の段階では、日々の礼拝はエルサレムにむかってなされていた。それがメッカのカアバ神殿に変更されたのは、ムハンマドがメディナに遷った622年からである。

イスラム教徒にとって、エルサレムが聖地とされるのは、たんにユダヤ教の伝統を引き継いだからだけではない。預言者ムハンマドが、一夜にして天に昇る旅をした場所とされるからで、岩のドームのなかにある岩からムハンマドが天に昇ったとされている。そして、その岩は、アブラハムがイサクを犠牲にしようとした場だともされているのである。

そうなると、岩のドームの岩は、イスラム教徒だけではなく、ユダヤ教徒やキ

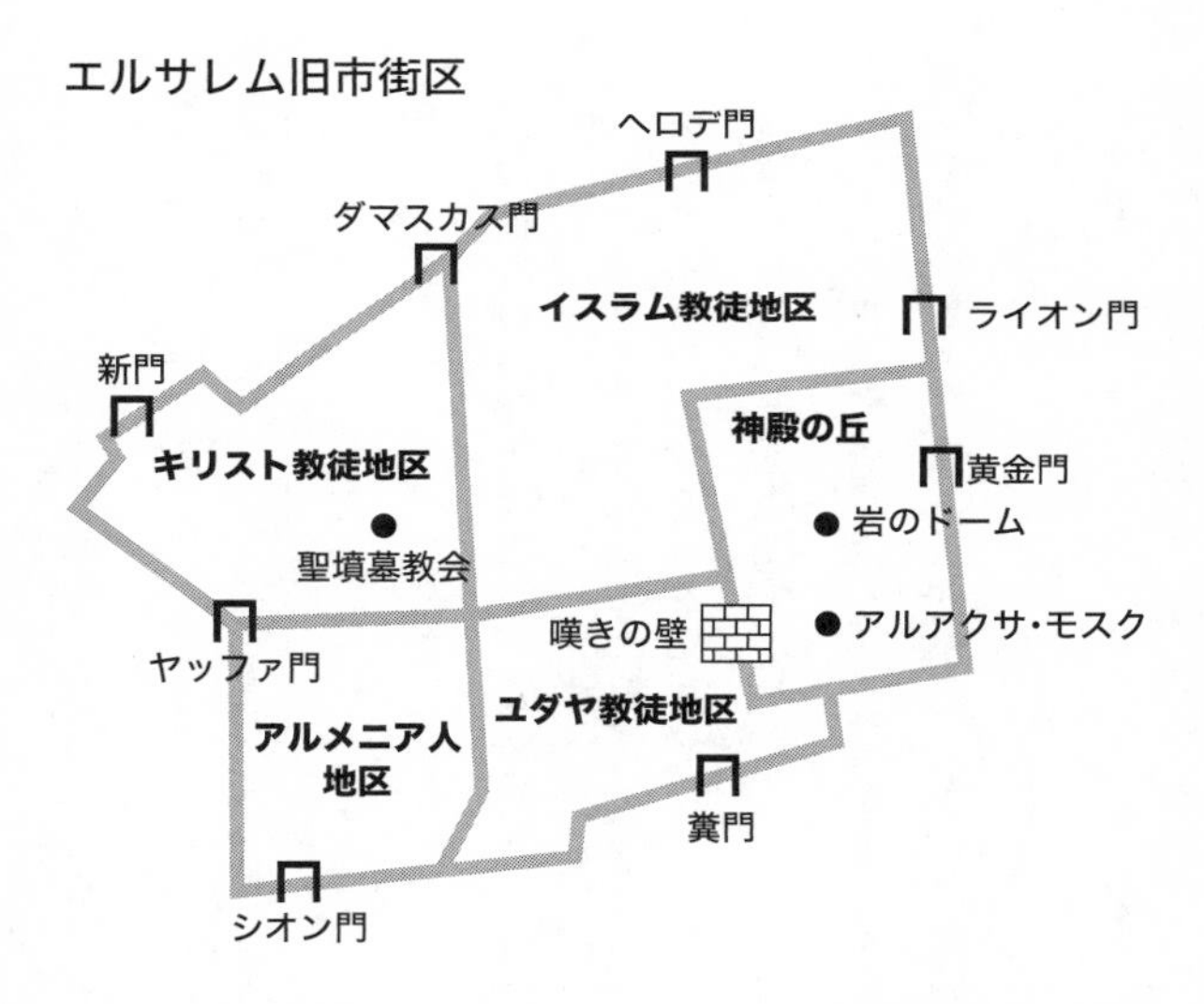

エルサレムは、ユダヤ教、キリスト教、イスラム教にとって共通の聖地であるが、それぞれの宗教によって重視される場所、施設は異なる。ユダヤ教徒は、かつての栄光を伝える神殿の壁にむかって祈りを捧げ、キリスト教徒はイエス・キリストの墓に建てられた教会に詣でる。イスラム教徒は、アブラハム由来で、ムハンマドが昇天した岩を神聖視する。

リスト教徒にとっても神聖なものになるはずである。しかし、そうした認識は二つの宗教の信者には見受けられない。

浅野和生『エルサレムの歴史と文化―3つの宗教の聖地をめぐる』(中公新書)によれば、「創世記」では、そもそもイサクの犠牲と岩が結びつけられてはいない。巡礼者の記録などを見ても、イスラム教以前に、岩がアブラハムと結びつけられていた形跡はなく、ムハンマドの昇天も含め、岩のドームの岩が聖跡にシフトしていった具体的な過程は解明されてはいない。浅野は、「同じアブラハムを祖先に持つ宗教であるユダヤ教やキリスト教に対してもイスラム教が優越的な地位にあることを強調するために、この岩にまつわる設定が作られた、という説が有力である」と述べている(259頁)。この説が正しいなら、岩に対してユダヤ教徒やキリスト教徒が関心を持たない理由も理解できる。

キリスト教徒にとってのエルサレム

キリスト教徒にとって、エルサレムは、イエス・キリストが活動を展開し、最後、十字架にかけられて殺され、復活をとげた場所である。

その経緯が福音書につづられているわけだが、エルサレムでは、それぞれのエピソードにまつわる場所に教会や礼拝堂が建てられていった。受胎告知教会、降誕教会、そして聖墳墓教会といった具合にである。

京都の東寺は、最初、官寺として建てられたものだが、空海に与えられ、真言宗の根本道場となった。その講堂には、幾体もの仏像によって構成された「立体曼荼羅」があり、密教の世界観を表現しているが、イエスの生涯にまつわるエルサレムの教会の群は、福音書を立体化したものとして見ることができる。エルサレムを訪れたキリスト教の信者は、そうした教会をめぐることで、イエスの生涯をたどり、救世主の実在を実感することができるのだ。

そうしたエルサレムの教会群のなかで、もっとも重要なものが聖墳墓教会であり、その歴史については、前掲の『エルサレムの歴史と文化』で述べられている。ローマ帝国において、キリスト教を公認したのがコンスタンティヌス1世になるわけだが、その母親はヘレナで、キリスト教の熱心な信仰者であったとされる。ヘレナには、コンスタンティヌス1世に依頼されてエルサレムにあるゴルゴダに巡礼したという伝説があり、その際に、イエスが磔（はりつけ）になった十字架などを発見したとされる。

イエスの終焉の地には、美の女神であるヴィーナスの神殿があり、神像がおかれていたが、ヘレナはそれを撤去し、地中深く掘り起こすことで、イエスの墓、聖墳墓を発見し、その際に十字架も見つけたというのである。

そこから聖墳墓教会が建設されることになるのだが、３３３年にフランスのボルドー出身の巡礼者が記録したところでは、その時点ではまだ教会は建設の途中であった。ただ、4世紀の終わりの時点では、聖墳墓教会はエルサレムの聖地のなかでも別格の存在になっていた。

十字軍遠征のきっかけ

ところが、その後の聖墳墓教会は、破壊と再建をくり返し経験することになる。

まず、614年には、ペルシアに攻められ、教会が破壊された。多くの聖職者が殺され、十字架も奪われた。630年には、ビザンツ帝国の皇帝、ヘラクレイオスが十字架を奪還し、教会の建物も修復された。

638年に、エルサレムは今度はアラブの支配下に入る。ただ、聖墳墓教会でのキリスト教徒の活動はウマイヤ朝のカリフから認められたものの、イスラム教徒とキリスト教徒のあいだでいさかいがおこり、教会が損傷することもあった。また、教会のドームは地震によって何度か被害を受けたものの、修復された。

ところがである。

909年にイスラム帝国のファーティマ朝が成立し、カリフのアル・ハキムは、学芸を保護し科学を発達させるなどの優れた功績はあったものの、一方で、キリスト教やユダヤ教を弾圧した。これは、イスラム帝国による宗教の共存政策に反するものだが、聖墳墓教会も破壊され、ほとんど廃墟になっただけではなく、エルサレムのほかの教会も被害にあった。浅野は、「このことはヨーロッパのキリスト教世界を刺激し、西ヨーロッパで十字軍の派遣が呼びかけられる原因のひとつとなった」と述べている（前掲、193頁）。

エルサレムは、キリスト教徒にとって、イエスの生涯をたどることのできる最重要の巡礼地だった。この時代、イエスの生涯がどのような形で信者のあいだに伝えられていたか、はっきりしたことは分からないものの、新約聖書は写本で、しかも、ギリシア語やラテン語などで記され、一般の信者には読めなかった。その点で、エルサレムを巡礼することの意味は非常に大きかった。

その点で、聖墳墓教会をはじめ、エルサレムの聖地が破壊されることは、極めて重大な出来事である。だからこそ、十字軍が派遣されることになるのだが、それが最初、旅や巡礼と呼ばれたのも、こうしたエルサレムにおける聖地のあり方が影響していた。

十字軍が召集される直接のきっかけは、ビザンツ帝国の皇帝、アレクシオス1世コムネノスからの要請だった。アレクシオス1世は、アナトリア（現在のトルコのアジア部分）で勢力を拡大していたイスラム帝国のルーム・セルジューク朝に対抗するため、ローマ教皇のウルバヌス2世に対して傭兵を提供するよう求めた。ウルバヌス2世による十字軍の召集は、それに応えたものだが、アレクシオス1世にしてみれば、十字軍のような大規模な軍勢が押し寄せてくるとは想定していなかった。

ウルバヌス2世にしても、果たして自分の呼び掛けがどれだけの効果を発揮することになるのか、十分には予想していなかったことだろう。

だが、旅や巡礼ということばは、十字軍に参加した諸侯や騎士、兵士、さらには民衆にとって相当に魅力のあるものだった。というのも、彼らは「贖罪（しょくざい）」を強く求めていたからである。それは、アレクシオス1世には理解が及ばないことだったのではないだろうか。というのも、そこには、西のローマ・カトリック教会と東の正教会における罪のとらえ方の違いが反映されていたからである。

東西の教会の違いはさまざまな点に示されるが、ここでの議論にもっとも関係するのが「原罪」の教義の確立である。ローマ・カトリック教会ではこの教義が明確に打ち立てられたのに対して、正教会ではそうはならなかった。その違いは現在にまで受け継がれている。

ローマ・カトリック教会が組織した十字軍

原罪の教義を確立する上で、もっとも影響力を発揮したのがアウグスティヌスである。

アウグスティヌスは、キリスト教徒の母親のもとに生まれるが、父親がキリスト教の信者でなかったこともあり、当初はマニ教を信仰していた。マニ教はペルシアに生まれた宗教で、同じペルシアのゾロアスター教の影響を受け、善悪二元論を説いていた。

アウグスティヌス自身の回想によれば、マニ教を信仰していた時代の彼は、肉欲に支配されていたという。実際、女性と同棲し子どもまで儲けていたが、たんに同棲していただけでは肉欲に支配されていたとまでは言わないだろう。演劇にも熱中していたというが、かなり乱れた生活をしていた可能性がある。

ただしアウグスティヌスは、母親の影響もあり、次第にマニ教に疑問をもつようになり、パウロの書簡にある「主イエス・キリストを身にまといなさい。欲望を満足させようとして、肉に心を用いてはなりません」(「ローマの信徒への手紙」『新共同訳　新約聖書』日本聖書協会、第13章14節)ということばにふれ、キリスト教へ改宗する。

改宗してからのアウグスティヌスは、修道生活を送り、やがて北アフリカの主要都市、ヒッポ（現在のチュニジアのアンナバ）の司祭となる。司祭となったアウグスティヌスは、自らがその信者だったマニ教の教義を徹底して批判するとともに、キリスト教の教義の形成に力を傾けるが、とくに彼が強調したのが原罪の教えだった。

アウグスティヌス以前にも、原罪を説くキリスト教の神学者はいたが、アウグスティヌスは自伝的な著作である『告白』のなかで、人間は「原罪のくびきにつながれている」という言い方をし、人間がいかに罪深い存在であるかを強調した。

原罪とは、最初の人間であるアダムとイブがエデンの園にいたときに犯したもので、蛇に誘惑されたイブは、神によって禁じられた善悪を知る木の実を食べ、アダムにもそれを勧める。アウグスティヌスは、これによって二人は性を知り、罪を犯したととらえた。また、その罪は遺伝によって後の人間にも伝えられたとしたのである。

この原罪の教義の確立は、教会の存在意義を高めることに貢献していく。教会だけが罪を贖う機能をもっているとされたからである。その具体的な手段となったのが、洗礼からはじまる秘跡だった。

原罪をもつ人間は、罪を贖ってもらわなければ、亡くなったとき地獄に落とされ、天国に昇ることはできない。だからこそ、キリスト教の信者は強く贖罪を求めるようになったのである。

ここで注目しなければならないのは、アウグスティヌスが「ラテン教父」の一人とされることである。教父とは、キリスト教の初期の時代、2世紀から8世紀にかけて登場したすぐれた神学者のことを言うが、ラテン語で著述活動を展開したのがラテン教父である。一方で、ギリシア語で著述活動を行ったのが「ギリシア教父」である。

ローマ・カトリック教会がラテン語の世界であるのに対して、正教会はギリシア語の世界である。したがって、ラテン教父はローマ・カトリック教会に強い影響を与え、ギリシア教父は正教会に強い影響を与えた。ただ、どちらの教父にしても、キリスト教の初期の時代に活躍しており、ラテン教父がローマ・カトリックの信者で、ギリシア教父が正教会の信者であるというわけではない。教父の多くは、どちらの教会においても聖人として認められている。

しかし、ローマ・カトリック教会の神学がラテン教父の思想を受け継ぎ、正教会がギリシア教父の思想を受け継いでいることも事実で、原罪の教義については、正教会ではそれほど明確な形では確立されなかった。それは、贖罪を強く求める傾向が、正教会では、ローマ・カトリック教会ほど強くないことを意味する。このことが、ローマ・カトリック教会において十字軍が組織されることに結びついた。

十字軍遠征の複雑な動機

櫻井康人は、『十字軍国家』（ちくま選書）において、「十字軍の本質はキリスト教会の敵と戦うことによって得られる贖罪である」と指摘している（29頁）。

十字軍に参加したからといって、それだけで贖罪が得られるわけではない。事前に教会に申請し、「キリストの騎士」と認められなければならない。これによって教会と騎士とのあいだには契約関係が成立し、騎士が軍事上の奉仕を行う見返りに、教会からは贖罪や他の特権が与えられた。他の特権とは、従軍中の財産や家族の身柄の保護などであった。

こうした特権は次第に増えていった。第1回十字軍の途中では、遠征中に亡くなると殉教と認定されることになった。殉教は聖人と認められる根拠と見なされる。そして第2回十字軍が呼び掛けられた際には、来世における魂の救済、ならびに従軍中の借金の利子の支払免除が加えられた。さらに、多額な遠征費の一部を教会が負担するようになる。

また、「永続的十字軍特権」というものもあった。これは組織に与えられるもので、騎士修道会などが現地において、教皇の判断を仰がずに、独自に十字軍への従軍者を生む権限だった。

十字軍に参加した動機には、世俗的なものもあった。王家につらなる者でも、その正統的な継承者ではなく、地位が不安定なものも含まれていたからである。実際、第1回十字軍によって、エルサレムを中心とした中東の地域には十字軍国家が樹立されたわけで、十字軍は領土拡大の運動でもあった。

しかし、たんにそうした世俗的な理由ではなく、当時のキリスト教社会において、贖罪は強く望まれていた。ただしそれは、あくまでローマ・カトリック教会の世界においてのことで、正教会では事情は異なっていた。

ビザンツ帝国の皇帝が十字軍召集の直接のきっかけを作ったと言えるわけだが、正教会の信仰が広まった地域から十字軍に参加することはなかった。そこには、贖罪への期待が、正教会ではそれほど強くなかったことが影響している可能性がある。

ただ、ビザンツ皇帝が結果的に十字軍を招き寄せてしまったことは、ビザンツ帝国にとって必ずしも好ましいことではなかった。１２０２年から１２０４年にかけての第4回十字軍になると、エルサレムを攻略するのではなく、イスラム教世界の中心となるエジプトをめざした。ただし、十分な軍費がなかったため、十字軍を支援したイタリアの都市国家ヴェネツィアの意向もあり、十字軍はビザンツ帝国の首都、コンスタンティノープルを攻め、そこを征服した。その際には、十字軍による虐殺や略奪が行われ、ビザンツ帝国は一時断絶することにもなった。

十字軍の遠征においては、ローマ・カトリック教会と正教会が、もちろん協調することはあったが、このように対立することもあった。一方、イスラム教世界でも、セルジューク朝とファーティマ朝、あるいはアイユーブ朝のあいだで抗争も起こり、戦いは複雑な様相を呈した。その点で、十字軍をキリスト教世界とイスラム教世界の宗教戦争として単純化してとらえるわけにはいかないのだが、果たして十字軍は成功したと言えるのだろうか。

十字軍遠征がもたらしたその後の影響

第1回十字軍では、エルサレムを奪還することに成功し、そこにエルサレム王国が建設された。他にも周辺には十字軍国家が生まれた。

ただ、その後、エルサレムがイスラム教の勢力によって奪い返されるという事態も生まれ、エルサレム王国は1291年に滅亡している。周辺にあった十字軍国家は、それ以前に滅びている。

それでも、第3回十字軍によって打ち立てられたキプロス王国や、第4回十字軍がビザンツ帝国のコンスタンティノープルを攻めることで生まれたラテン王国などもあり、十字軍国家が最終的に一掃されるのは、聖ヨハネ騎士団が征服したマルタ島を、1798年にナポレオン・ボナパルトによって奪われたときだった。その点では、十字軍国家は相当に長いあいだ存続したことになるが、エルサレムを恒久的にキリスト教世界のものにすることには成功しなかった。

しかし、十字軍の本来の目的が贖罪にあり、その手段が巡礼であるとするなら、キリスト教徒にとって重要なのは、エルサレムを誰が支配するかよりも、巡礼地が保たれ、そこに巡礼することが可能かどうかである。

エルサレムがイスラム教徒の手に奪還された後、聖墳墓教会は以前のように破壊されることはなかった。それは存続し、後にエルサレムがオスマン帝国の支配下に入っても同じだった。

浅野によれば、エルサレム王国が滅びた後の14世紀、聖墳墓教会は正教会、カトリック教会、ジョージア正教会（後に財政の問題から抜ける）、アルメニア使徒教会、シリア正教会、コプト教会、エチオピア正教会に使用する権利があり、抜け駆けがないよう、正面扉の鍵はイスラム教の2家族が管理し、毎朝早朝に開けるようになった。この体制は現在でも守られている（１９４頁）。聖地が確保され、巡礼が可能であることはキリスト教徒にとって何より重要なことである。

領土や聖地の確保以上に、意味を持つ事態も生まれた。

十字軍の遠征が行われていた時代、イスラム教の文化圏とキリスト教の文化圏を比較したとき、優れていたのは前者の方だった。そこには、先進的なギリシア文明をどのように扱ったかが影響していた。ギリシア文明は多神教であり、その点で一神教の対極にあった。

そのために、ビザンツ帝国のユスティニアヌス皇帝は５２９年にギリシア文明の遺産を破棄し、その研究を行っていた学者を追放してしまった。

これに対して、イスラム帝国アッバース朝の第７代カリフ、マアムーンは、首都のバグダードに天文台を併設した「知恵の館」と呼ばれる図書館を建て、そこにギリシア語の文献を集め、さらにはそれをアラビア語に翻訳させた。

そのなかには、ヒポクラテスやガレノスによるギリシアの医学書、占星術を含めた天文書、プラトンやアリストテレスの哲学の注釈書などが含まれ、イスラム教の世界は古代ギリシア文明の遺産を享受することになる。それは、十字軍以前のキリスト教世界ではなかったことだった。

それによって、文明のレベルに違いが生まれた。はっきりしたのは医学の分野で、十字軍の兵士が傷を受けた場合、同行したキリスト教世界の医師ではなく、イスラム教世界の医師に治療を求めた。要は、キリスト教世界の医師は無能だったのである（その点は、川喜田愛郎『近代医学の史的基盤』岩波書店に詳しい）。

それが、十字軍によって、イスラム教文明が確保してきた文物が西側に流れ、12世紀ルネサンスや本格的なルネサンスの勃興に貢献した。十字軍として従軍した人々が、直接、イスラム教文明に接したことも大きかった。その点では、十字軍は、キリスト教文明を発展させることに大きく貢献することとなった。これはあくまで十字軍の副次的な効果だが、その意義は極めて大きい。

ただ、十字軍がビザンツ帝国を攻め、それがやがて帝国の崩壊に結びついたことは、西側の世界にマイナスの効果をもたらした。一時断絶したビザンツ帝国は、その後復興されるが、近接した地域ではオスマン帝国が勃興し、1453年にはコンスタンティノープルが陥落し、ビザンツ帝国は消滅するからである。

オスマン帝国は強力な帝国であり、2度にわたってウィーンを攻めるなど、西ヨーロッパの世界には脅威となった。しかも、オスマン帝国は500年、あるいは600年も存続した。十字軍がビザンツ帝国を攻めなければ、事態は変化していたかもしれない。その点は、西ヨーロッパにとっての十字軍の弊害である。

イスラム教世界にとって、十字軍の襲来は突然の出来事だった。仕掛けたのはキリスト教の側であり、イスラム教の側ではない。イスラム教の側は、十字軍を「フランク」としてとらえたが、最初、その襲来の意図が理解できなかった。

しかし、次第に情報がもたらされ、十字軍がエルサレムの奪還をめざしていることが判明した。それでも、十字軍と戦う体制が出来ていなかったため、エルサレムを奪還され、十字軍国家の建設を許す結果となった。その後、エルサレムをふたたび奪還することに成功するが、イスラム教徒の側が、キリスト教徒に対して強い不信感を抱く原因ともなった。その影響は、最初の十字軍から１０００年近くが経った今日にまで及んでいる。

では次には、狭義の意味での宗教戦争、宗教改革後の西ヨーロッパにおける宗教戦争について見ていくことにしたい。

第3章

ヨーロッパの宗教戦争

対立するプロテスタントとカトリック

16世紀から17世紀にかけて、ヨーロッパの世界では、宗教をめぐる戦争が続いた。

最初はドイツにおけるシュマルカルデン戦争で、フランスではユグノー戦争が起こった。どちらも新興のプロテスタントの勢力と、旧来のカトリックの争いで、オランダ独立戦争も同じ性格を持っていた。そして、ドイツで三十年戦争が起こるが、これはドイツ国内にとどまらず、ヨーロッパの各国が介入したことで国家間の戦争へと発展した。

三十年戦争は、1648年に締結された「ウェストファリア条約」で講和が実現されるが、それによってプロテスタントとカトリックの対立に終止符が打たれたわけではない。高柳俊一・松本宣郎編『キリスト教の歴史2―宗教改革以降』(山川出版社)では、講和によって「熱い宗教戦争の時代は終結しても、ヨー

カトリックとプロテスタントの違い

	ローマ・カトリック	プロテスタント
最高指導者	ローマ教皇	――
聖職者	司祭（神父）の婚姻禁止	牧師は婚姻自由
概要	教会（教皇）中心、聖人崇拝	聖書中心、多くは聖人崇拝否定
信者数	約13億人	約5億人

ロッパ世界をプロテスタント勢力圏とカトリック勢力圏とに分ける、いわば冷戦体制の思考が影響力をもちつづけていた」と指摘されている。冷戦ではなく、実際の戦争に結びついた例もある。北アイルランド紛争の場合である。

ヨーロッパでの宗教戦争は、プロテスタントとカトリックの対立である以上、その根本的な原因は、宗教改革によるプロテスタント諸宗派の誕生というところにさかのぼる。

宗教改革のはじまりをどこに求めるかは、議論のあるところでもある。もっとも早い事例としては、イングランドの神学者、ジョン・ウィクリフがカトリック教会の腐敗を批判したことなどがあげられるが、一般には、ドイツにおけるマルティン・ルターの試みからはじまるとされる。ルターは、1517年、カトリック教会が発行するようになった「贖宥状（しょくゆうじょう）」を批判しそれが宗教改革へ発展したというのだ。

ルターの批判は正しかったのか？

このときの贖宥状は、カトリックの総本山、ヴァチカンのサン・ピエトロ大聖堂の工事を完成させるための資金調達を目的としたものだった。ルターは「95箇条の提題」を発表して、これを批判した。

提題の第27条にある「箱のなかに投げ入れられたお金がチャリンと音をたてるやいなや、魂は［煉獄から］飛び出るというものは人間［の教え］を説いている」ということばは有名だが、ルターは、教皇による贖宥は、最小の罪さえ除くことはできないとし（第76条）、救いは個人の信仰のみによってもたらされるという立場をとった。

贖宥は贖罪と同義であり、ローマ・カトリック教会において原罪の教義が確立されたことの反映である。教会は、贖罪の機能を有すると主張することで、その社会的な存在意義を強調してきたが、ルターは金銭によって贖罪がかなうことを強く批判したのである。

この点で見るならば、ルターの批判は正しく、カトリック教会は腐敗していたように見える。しかし、サン・ピエトロ大聖堂のような大規模な建築物を創建したり、再建したりするには多額の資金を必要とするわけで、教会は何らかの方法で資金を調達しなければならない。前の章で見たように、罪が贖われることへの期待は強かった。教会は、そうした人々の期待を満たしつつ、それを資金調達に利用したのである。

果たして、これだけをもってカトリック教会が腐敗堕落していたととらえていいのか、そこが問題である。宗教界において新しい動きが出てきたとき、従来の体制の腐敗堕落が原因として指摘されることは少なくないが、ある意味、それは歴史上頻繁にくり返されてきたことであり、贖宥状がとくに悪質なものだったわけではない。

キリスト教の世界で教会の腐敗堕落という事態が起こったとき、それまでも改革の動きはいくらでもあった。清貧を重んじる修道院の創設はその代表的な例であり、多くの修道院、修道会が生み出されてきた。

実際、宗教改革によってプロテスタントが誕生した際、カトリックの側もそれに強い危機感を抱き、「対抗宗教改革」の動きが起こった。修道会の一つとしてイエズス会が結成されたのもその一環で、海外での宣教活動がめざされ、会の創立メンバーであるフランシスコ・ザビエルが来日し、日本でキリスト教の布教活動に従事することとなった。

対抗宗教改革は、あくまでカトリック教会内部の試みであるが、プロテスタントの登場は、ローマ教皇を頂点とするカトリックの教会組織を全面的に否定するもので、カトリック側からすれば「分派活動」にほかならない。少なくとも、カトリック教会が一連の宗教改革の意義を認めていないことは明らかである（この点については、日本のカトリックの組織、カトリック中央協議会のサイトの宗教改革についての項目を参照）。

宗教改革について研究する人間は、その意義を認めるからそれに着手するわけで、プロテスタントの信仰をもっていることがほとんどである。そうなると、宗教改革を評価する立場をとりやすい。それが社会全体の宗教改革への高い評価に結びついた可能性がある。それは、カトリックとプロテスタントの冷戦が今日にまで受け継がれていることを意味する。

宗教改革が起こった要因

宗教改革が起こった社会的な要因を考えるには、当時のカトリック教会がどういった社会的な存在であったのかをおさえなければならない。

日本でも中世の時代においては、「南都北嶺」と呼ばれた奈良の興福寺や京都の延暦寺が、膨大な領地を寄進された上、僧兵を抱えるなど、朝廷や公家、武家に対抗する権力、「寺社勢力」として君臨していた。それはヨーロッパについても言えることで、カトリック教会は絶大な力を持つ権力機構となり、世俗の権力と対抗関係にあった。

この点については、正教会が広がった地域とは事情が異なる。正教会は国別民族別に組織されており、世俗の権力との関係が深い。皇帝や国王は、正教会の庇護者の役割を果たす。それに対してカトリック教会は、ローマ教皇を頂点とした単一の組織であり、世俗の権力と対抗関係にある。その点では日本の寺社勢力と近いが、寺社勢力の場合には単一の組織にまとめあげられているわけではなく、それぞれが独立性を保っていた。

単一の組織であるがゆえにカトリック教会は強大な権力機構であり、世俗権力との対抗関係も、ときには激しいものとなった。「叙任権闘争」がその代表と言えるものだが、聖職者の任命権をめぐって教会と皇帝などが対立した。皇帝の側は、教会に資金援助するスポンサーの役割を果たしてきたため、自分たちの認める聖職者を指名しようとした。教会には莫大な土地が寄進されており、その経済力が皇帝に魅力だった面もある。

しかも、ローマ教皇の権力は国境を超え、カトリックの信仰が広がった地域全体に及んだ。国の側からすれば、それは、国外の勢力による支配が国内に及ぶことを意味する。教皇領や教会領も治外法権であり、国が介入することは制限される。

中世の時代においては、国家権力の力はまだ十分ではなく、それぞれの地域はさまざまな帝国の支配を受けた。それが、近世に時代が変わると、絶対王政から主権国家が生まれることになり、やがて近代になると国民国家が誕生する。そうした事態が進行していくなかで、カトリック教会の権力機構は邪魔になった。大きく言えば、それが宗教改革が起こる根本的な要因だった。

最終的には教会権力が力を失っていくことにもなるのだが、宗教改革が起こる前の段階でヨーロッパは大航海時代に突入しており、それによってカトリックの信仰は中南米にも広がっていくことになる。そうした面でも、宗教改革以降の動きはその後の世界に絶大な影響を与えたことになる。

ルターは聖アウグスチノ会の修道士で、ヴィッテンベルク大学で哲学と神学の講座を受け持っていたが、禁欲的な生活を送り、聖書を研究するなかで、救いは信仰のみによって与えられるとする「信仰義認論」にたどり着く。これが、救いを独占してきた教会を批判する理論的な根拠となった。さらにルターは、「万人祭司主義」を唱えることで、教会の聖職者を特別な存在とする身分秩序を批判することにもなった。

こうしたルターの思想は、エラスムスなどの人文主義者の共感を呼び、「95箇条の提題」は、グーテンベルクの印刷術によってドイツ全体に瞬く間に広がっていくが、ルターは1521年に教会から破門されている。

これでルターは、カトリック教会と真っ向から対立する立場におかれたが、ザクセン選帝侯をはじめとするドイツの諸侯からは支持される。ドイツ諸侯は、カトリック教会の権力と対抗するとともに、神聖ローマ帝国の皇帝の権力にも対立するようになり、領邦国家（神聖ローマ帝国を構成した小国家群）の形成へと向かっていた。それと併行したのが領邦教会制（各君主が領邦内の教会を統治する制度）の構築であり、それはプロテスタントのカトリック教会からの離脱を意味した。

シュマルカルデン戦争

そうしたなかでドイツ諸侯は1531年、シュマルカルデン同盟を締結し、皇帝や教会権力と軍事的に対抗しようとする。ただ、その時代にはオスマン帝国がヨーロッパに迫ってきており、カトリックの国であるフランスとの外交関係もあり、すぐには戦争にはならなかった。ところが、1546年にルターが亡くなったことなどもあり、神聖ローマ帝国のカール皇帝は同盟に対して戦争を仕掛けた。これがシュマルカルデン戦争であり、この戦争では、皇帝の側が勝利したものの、カール皇帝が強硬路線をとったため、カトリック側からの反発も生まれ、最終的にはルター派を容認せざるを得なくなる。

1555年、カールの後を継いだ弟のフェルディナンドは、アウクスブルクで帝国議会を開催し、そこで「宗教平和令」が公布される。その原則は「ひとりの支配者のいるところ、ひとつの宗教」というもので、諸侯はカトリックかルター派のプロテスタントかどちらかを選ぶことができた。領民には領主の選択した信仰しか許されず、従いたくなければそこから移るしかなかった。

宗教改革の波は各国に及び、ルター派以外にも新しい派が生まれた。カルヴァン派、ツヴィングリ派、再洗礼派などだが、この宗教平和令では、そうした派は異端とされ、諸侯もそれを選ぶことができなかった。

これは、ルター派の信仰にお墨付きを与えることになったが、それでカトリックとプロテスタントとの対立が解消されたわけではない。

そして、すでに述べたように、宗教改革の波はドイツから各国に飛び火していくことになるのだが、そのなかで重要な存在として浮上するのがフランス出身の神学者、ジャン・カルヴァンであった。

カルヴァンはパリ大学などで哲学や神学、法学を学んでいたが、24歳のときに「福音主義」に回心した。福音主義とは、救済の根拠をもっぱら聖書に求めるもので、それは最初にルターが説いた思想だった。

福音主義の立場からすれば、カトリック教会の信仰は聖書から根本的に逸脱していることになる。カルヴァンの著作から3つの作品を選び出して編纂された『カルヴァン小論集』（波木居斉二訳、岩波文庫）には、「聖晩餐について」（1541年）、「聖遺物について」（1543年）、「占星術への警告」（1549年）がおさめられており、カトリック教会の信仰が迷信的なものとして徹底して批判されている。

こうした著作を書いたところに示されるように、カルヴァンは信仰に対して極めて厳格であり、フランスでの福音主義への弾圧を逃れて、スイスのジュネーブに滞在していた際には、現地の宗教改革家、ギョーム・ファレルに依頼されて改革運動の手助けを行う。その後、いったんはジュネーブから追放されたものの、3年後に呼び戻されると、長老会による神権政治を行い、市民に対しても規律ある生活を求めた。

これは、1979年に起こったイランでのイスラム革命を思い起こさせる。それまでのイランは世俗国家だったが、フランスに亡命していた法学者のアヤトラ・ホメイニが帰国することで革命が起こり、ホメイニの唱える「法学者による統治」が実現され、イランの国民はイスラム法にもとづく規律ある生活を求められることになった。

イランはイスラム革命を周辺の国家にも輸出することを試みるが、カルヴァンの場合にも、フランスに福音主義を輸出しようと試み、多くの宣教師を派遣した。フランス側にも、旧来のカトリック教会のあり方に不満を持ち、その改革を求める人間たちが多く存在したのである。

では、フランスにおける宗教戦争はどのように進んでいったのだろうか。

ユグノー戦争

この戦争は、「ユグノー戦争」とも呼ばれる。ユグノーとは、フランスにおける福音主義者、つまりはプロテスタントのことを意味する。

フランスと言えば、カトリックの国というイメージが強い。現在において、フランス国民のおよそ70パーセントがカトリックだとされ、プロテスタントの割合はわずか1～2パーセントである。

しかし、宗教戦争の時代には、ユグノーは200万人に達し、人口の約10パーセントを占めていたとされる。ドイツの宗教社会学者、マックス・ヴェーバーも、『プロテスタンティズムの倫理と資本主義の精神』（大塚久雄訳、岩波文庫）において、プロテスタントが「フランス工業の資本主義的発展の重要な担い手の一つであった」と指摘し、「現在でもそうだ」と述べている。この本が書かれたのは1904～1905年のことである。

前掲の『キリスト教の歴史2』においては、カルヴァンの福音主義を奉じる改革派が1550年代にはフランスに伝えられていたが、1555年以前には教会は一つもなかったとしている。ところが、1559年には1000を超える教会が設立されていた。驚くべき勢いで、ユグノーが増えていったのである。

フランスにおける宗教戦争は、前掲の『世界戦争事典』によれば、第1次から第9次まで続いたとされる。

第1次のきっかけになったのは、1562年の「ヴァシーの虐殺」であり、すでにこの時点では、カトリックとプロテスタントの対立は激化していた。

プロテスタントの側は、カトリックを擁護する貴族のギーズ家が国王を操っていたととらえ、国王を誘拐し、ギーズ家の主要人物を捕らえる計画を立てた。ところがこの計画は失敗し、計画に関係したユグノーは逮捕され、処刑された。

この時代、摂政として権力を握っていたのが皇太后のカトリーヌ・ド・メディシスで、内戦を回避するため、地域を限ってではあるが、プロテスタントの信仰を認めた。これに対して、強硬な姿勢をとるギーズ公はユグノーが法を犯しているとし、ヴァシーにおいて、支持者に命じてユグノーに発砲させ、多数の犠牲者が出ることで、第1次の宗教戦争に突入していった。

ユグノーはこれに報復し、各地で小競り合いが起こる。多くの血が流され、カトリックとプロテスタントの両軍の指揮官が捕らえられ、ギーズ公も暗殺された。これによって交渉が行われ、１５６３年、制限つきながら、プロテスタントの信仰が容認された。

第2次宗教戦争は1567年にはじまった。サン・ドニの戦いで国王軍が勝利したものの、司令官のモンモランシーが戦死し、ユグノーがパリに迫ったため、和議が行われ、プロテスタントの信仰に対してより大きな自由を与えられた。

第3次は、王室がユグノーを鎮圧しようとして1568年にはじまるが、それに失敗し、小競り合いが再燃する。国王軍は1569年3月にユグノーを奇襲して、ユグノーを率いるコンデ親王ルイ1世を殺害した。

事態を難しくしたのは、外国からの介入があったことで、カトリックの側はスイスからの援軍を受け、ユグノーとそれを支持するドイツ軍を打ち負かした。ただ、たび重なる戦争で王家の負債が増大し、国王シャルル9世が和平を望んだことで、ユグノーに対してはさらなる宗教的自由が認められた。

このように、次第にユグノーに信仰の自由が与えられる方向で進んでいったのだが、それはカトリックの側の不満を募らせることにもなった。

カトリーヌ・ド・メディシスも、息子のシャルル9世にユグノーの指導者であるコリニー伯ガスパールが接近し、その影響が及ばないようにと暗殺を試みるが、それに失敗し、シャルル9世に対してユグノー派の指導者を死刑にするように説得を試みた。

そんな折、王女マルグリットと、プロテスタントのナバーラ王アンリの結婚式がパリで行われ、そこにはユグノーの指導者が多く集まってきた。1572年8月24日のサン・バルテルミーの日、カトリックの暴徒が市内各所で蜂起し、ユグノーの指導者を襲い、コリニー伯も殺された。これによってパリで3000人のユグノーが殺され、フランス全土では5万人が殺された。これが第4次の宗教戦争に結びついた。それによってユグノーに与えられた権利は縮小したが、フランス南西部では優位を占めるようになった。

1575年には、ふたたび戦闘がはじまり、第5次宗教戦争に突入する。前年にはシャルル9世が亡くなり、王位はアンリ3世に受け継がれていた。ギーズ公アンリがカトリック軍を率いて、ドルマンの戦いでは勝利するものの、プロテスタントが全般的に優位を保った。国王は、「ポリティーク」と呼ばれる不満派におされて、宗教の自由を認める和議に同意するが、それは効果のないもので、ギーズ公はスペインの支援をとりつけ、王位をねらった。

その後も、宗教戦争は第6次から第9次まで続く。そこには信仰の問題だけではなく、王家の継承問題もからみ、事態は複雑な様相を呈していく。ただ、1598年に「ナントの勅令」が発せられることで、ユグノーの信仰の自由が認められ、36年もの長きにわたって続いた宗教戦争は終わりを告げる。

このナントの勅令には制限があった。信仰の自由は認められたが、礼拝の自由は制限され、パリとその周辺約20キロの範囲では、ユグノーの礼拝は許されなかった。ただし、領主がユグノーであれば礼拝は認められ、学校や施療院での差別もなくなった。これは、ユグノーの存在が許されたということにすぎず、やがて1685年のフォンテヌブローの勅令で、ナントの勅令は破棄されてしまう。

フォンテヌブローの勅令を出したルイ14世は、ユグノーを敵視し、ユグノーに対して、改宗するか、女性なら牢獄に行くか、男性ならガレー船漕役刑に処せられるか、はたまた死を選ぶかを迫った。その結果、85万人のユグノーのうち20万人がヨーロッパ各地に亡命した。フランスはカトリックの国であり続け、それが今日、プロテスタントが少数に留まっている原因となった。

ドイツとフランスを比較した場合、カトリックとプロテスタントとの対立は、異なる結果をもたらしたように見える。ドイツでは、戦争後にカトリックとプロテスタントの共存がはかられるようになったが、フランスでは、ユグノーと呼ばれたプロテスタントはその存在を認められず、多くは国外に亡命した。

しかし、ドイツでも宗教平和令によって、カトリックとプロテスタントの対立が解消されたわけではない。その後、「最後の宗教戦争」と呼ばれる「三十年戦争」が勃発するからである。

三十年戦争の勃発

この三十年戦争は複雑な経緯をたどる。当初はカトリックとプロテスタントが対立する、まさに宗教戦争であったが、諸外国がそれぞれの利害にもとづいて軍事的に介入することで、国際的な戦争の様相を呈していった。この戦争によって、ドイツ人の20パーセント、800万人以上が亡くなったとされる。

宗教平和令が公布された時代には、対立していたのはカトリックの教会とルター派のプロテスタントであった。ところが、フランスにも進出したカルヴァン派や、対抗宗教改革として生まれたイエズス会もそこに加わり、事態は容易ならざるものになっていく。カルヴァン派の神学はルター派と対立するものだし、イエズス会も戦闘的な修道会で、プロテスタントの信仰からカトリックを守ることに力を入れていた。新たな勢力が加わることで、ドイツの宗教をめぐる状況は複雑化した。

まず最初に起こったのは、１６０６年にドナウヴェルトにおいて、ルター派の住民がカトリックの聖体行列（聖体を捧持して町を練り歩く行為）を襲撃したことで、この都市を勢力下におくバイエルン公マクシミリアン１世は、ルター派が優位であったこの都市をカトリックに復帰させようとして、自らが主権を行使する領邦都市とした。宗教平和令が示すように、支配地域の信仰を決めるのは領主だった。

これに対して、プロテスタントの諸侯は危機感を抱き、カルヴァン派のプファルツ選帝侯フリードリヒ４世をリーダーとする「プロテスタント同盟」を成立させたが、カトリック諸侯の方も、バイエルン公を盟主とする「カトリック連盟」を結成した。これによって、カトリックとプロテスタントによる対立の構図が明確になった。

この時代、神聖ローマ帝国は、「ドイツ国民の神聖ローマ帝国」と称していたが、オスマン帝国との戦いで疲弊し、ボヘミアの統治権は、皇帝のルドルフ２世から弟のマティーアスに奪われ、マティーアスがボヘミア王となったものの、その座を従兄弟のフェルディナント2世に奪われてしまった。

フェルディナントは、若い頃にイエズス会士から教育を受け、熱心なカトリック教徒であったため、プロテスタントを弾圧した。1618年5月には、プロテスタントの代表がプラハ城におもむいて、フェルディナントの代官と交渉するも受け入れられず、2人の代官と書記官を窓から城の下の掘割に放り出してしまった。3人はゴミだめの上に落ちたため軽傷で、小銃の銃撃を受けたものの逃走する。

ここからプロテスタントの神聖ローマ帝国皇帝に対する「ベーメンの反乱」が起こり、それが三十年戦争を引き起こすことになった。

三十年戦争の講和までに起こったこと

三十年戦争は、4つの段階を経ていく。

最初の段階では、ボヘミアではベーメンの反乱の後、議会はプロテスタント同盟の指導者であったプファルツ選帝侯フリードリヒを国王に選び、カトリックの側と戦った。その際に、カトリックの側をスペインが、プロテスタントの側をオランダが支援した。オランダは、スペインから独立する「オランダ独立戦争」を戦っている最中だった。

このカトリックとプロテスタントの戦いでは、カトリック側が1623年までに勝利し、プロテスタント同盟は解体された。フリードリヒはオランダに亡命し、ボヘミアではカトリックへの改宗が強制された。

次の段階は、1625年、ルター派のデンマーク王クリスチャン4世が、イギリスやオランダからの資金援助を得て、プロテスタントを守るためドイツに進軍した。ただ、これはカトリック側によって撃退され、デンマーク王は敗北を認めて、講和条約を結ばざるを得なくなった。

この勝利によって、カトリック側の皇帝フェルディナントは、1629年3月に「復旧勅令」を発布し、アウクスブルクの宗教平和令以降に獲得されたプロテスタント側の教会領をすべて剥奪してしまう。

1630年には戦争は第3の段階に入り、今度はスウェーデン王グスタフ・アドルフが、フランスからの資金援助を受けてドイツへ進軍した。これもプロテスタントを守るためだった。これは激しい戦いになり、スウェーデン王が戦死し、カトリック側の傭兵隊長が皇帝に謀反を疑われ暗殺された。戦いではスウェーデン軍が壊滅的な打撃を受け、ルター派の勢力は敗北するが、今度はフランスが神聖ローマ帝国の領土内に進軍し、戦争は第4の段階を迎える。

これにスウェーデンが同調し、カトリック側にはスペインが介入した。戦況は一進一退で決着がつかなかった。しかし、三十年戦争によってドイツでは、すでに述べたように多くの犠牲者が生まれ、国土は荒廃していた。そこには、この戦争が傭兵によって担われたことが影響していた。傭兵は金銭で雇われて戦争に従事するわけだが、戦争が長引くことで支払いが滞り、傭兵たちは占領した地域において略奪をほしいままにした。さらに、戦争は疫病を流行させた。ドイツにおける人口の極端な減少も、それがなければ起こらなかったはずである。

これ以上、戦争を続けることは不可能になり、１６４１年から講和会談の下交渉がはじまり、１６４８年にウェストファリア条約が締結された。それによって宗教平和令が再確認された。復旧勅令も廃止されて、カルヴァン派も容認された。オランダとスイスも正式に独立を認められた。

三十年戦争がもたらした影響

『キリスト教の歴史２』では、三十年戦争がもたらしたものについて、次のように述べられている。「この結果、神聖ローマ帝国という名称は残っても、皇帝は諸領邦の代表者が集まる帝国議会の決議に縛られる飾りものにすぎなくなった」というのである。

神聖ローマ帝国は解体への道を歩み、プロイセンとオーストリアという主権国家が樹立され、それはヨーロッパに「主権国家体制」を確立することに結びついた。そして、カトリックとプロテスタントが対立し、紛争に発展することはなくなった。この二つの宗派は、ドイツにおいて共存するようになっていくのである。

しかし、フランスの場合、いったんはユグノー、つまりはプロテスタントを信仰する自由が許されながら、ルイ14世によってそれが覆されたことは、後に大きな問題を生むことになった。ユグノーたちが海外へ逃れたことで、フランスはカトリック教徒が大半を占める国に立ち戻ったわけで、それはあたかもフランスに宗教改革の波が訪れなかったかのような状態を生んだ。これは、ドイツとも異なるし、スペインから独立したオランダ、あるいはスイスなどとも異なる。イギリスでも、信仰の中身や儀礼のやり方はカトリック教会と変わらないものの、ローマ教皇の権威を認めない国教会、聖公会が成立していた。

フランスは、スペインやポルトガル、あるいはイタリアと同様に、カトリック教徒が大半を占める国であり続けたわけで、それは教会の権力が依然として強大であることを意味した。そうしたあり方が根本から改められるのが、1789年に起こった「フランス革命」によってである。

フランス革命

フランス革命は、絶対王政を打倒し、封建制を打ち破る市民革命としての性格を持ち、ルイ16世やその后、マリー・アントワネットはギロチンで処刑された。

それは、絶対王政の国家と深く結びついていた教会権力にも及び、教会の土地や財産が没収されただけではなく、多くの司祭が追放され、処刑された者も数百人に及んだ。そして、革命政府は、教会での典礼に代わる「理性の神」の崇拝を導入することさえ試みた。それに関連して、キリスト教の大聖堂であったパンテオンの屋根に立つ十字架に代わって、パリの守護聖女ジュヌヴィエーヴが取り付けられたりもした。

ただ、早急な改革はフランス社会に混乱をもたらすことになり、その間隙を突く形で、ナポレオン・ボナパルトが台頭し、皇帝に即位する。革命によって王政が廃止され、第1共和政が実現されたものの、それは短期間に終わり、フランスは帝政となったのだ。

ルーヴル美術館にはジャック＝ルイ・ダヴィッドによって描かれた「ナポレオン一世の戴冠式」という巨大な絵が所蔵されている。この絵で、冠を授けているのはナポレオンで、授けられているのは妻のジョセフィーヌである。ノートルダム大聖堂で行われた実際の戴冠式で、ナポレオンはローマ教皇のピウス7世を呼んでおきながら、自ら冠をかぶった。本来、皇帝に戴冠するのはローマ教皇の役割だが、新たな時代が訪れたことを示すために、自ら冠をかぶったと考えられている。それでもナポレオンは、革命政府とは異なり、教会を完全に否定したわけではなかった。

それを反映し、ナポレオンは、皇帝の座につく3年前の1801年に、ピウス7世とのあいだで「政教協約（コンコルダ）」を結んでいた。

この協約では、カトリックはフランス国家の宗教であるとまではされなかったものの、国民の多数の宗教であるとされた。司教は政府が指名し、教皇がそれを任命する。司教には、主任司祭と補助司祭を任命する権利が与えられた。

司教を誰が任命するかということは、すでに述べた叙任権闘争の最大の論点であったわけだが、政教協約は、教会と世俗権力との妥協の産物であったように見える。

また、この協約によって、革命政府が没収した教会の財産については、それを返還しないものとされ、国家が聖職者の損害を弁償することが定められた。ただ、その後、ナポレオンと教会との関係は、ナポレオンの離婚問題などでこじれ、ナポレオンを破門したピウス7世は、北イタリアで監禁されてしまう。ローマ教皇がローマに帰還できたのは、ナポレオンの退位後のことだった。

政教分離

このような経緯を経て、第3共和政下のフランスでは、1905年12月9日に「政教分離法」が公布された。これは、教会の権力が公的な空間に及ぶことを阻み、信仰を私事化することを目的としていた。

それも、政教協約以降、政府と教会とのあいだでは権力の行使をめぐって抗争があったからだ。カトリック教会の修道士が教育を完全に支配するようになり、さらに、社会福祉の分野にも支配権を及ぼした上、修道会は莫大な財産を集めていた。カトリック教会の政治的な立場は、反共和主義であり、それは共和制を確立する上で大きな障害になっていた。

1870年代になると、教会と組んだ王党派に代わって共和派が政権を掌握するようになる。すると、1882年のフェリー法で宗教教育が公教育から排除され、1886年のゴブレ法では聖職者教員が排除された。そして、日曜日の休業義務が廃止され、墓地や葬儀は公営化され、宗教的に中立化された。さらに、離婚を禁止した法律や議会開会時の公的祈禱、そして神学生の兵役免除が廃止された。こうした積み重ねの上に、政教分離法が制定されることになる。

政教分離法では、第1条で自由な礼拝が保障され、第2条では「いかなる礼拝に対しても、公認をせず、給与を支払わず、補助金を交付しない」とされた。ただし、リセ（高校）、コレージュ（中学）、学校、病院、保護収容施設、刑務所のような公共施設における施設付司祭の役務に対しては予算を計上することが認められた。これは、信教の自由が保障され、政教分離が条件付きで原則とされたことを意味する。

カトリック教会は、これに激しく抵抗し、流血騒ぎまで起こすが、教会は巨額の財産を喪失し、さらに礼拝に公的な補助は受けられなくなり、聖職者への給与も廃止されてしまった。ただそれは、教会に宗教活動の自由を与えるものにもなった。というのも、礼拝用の建物はすべて国の所有になったものの、カトリック教会の教師と信徒はそれを無償で利用することができたからである。

ライシテの原則

こうした過程を経て、フランスでは「ライシテ」の原則が確立される。ライシテの語源は、ギリシア語で民衆を意味する「ラオス(laos)」、あるいは「ライコス(laikos)」にある。対語は「クレリコス(klerikos)」で、こちらは聖職者にかんすることを意味する。ライシテは、政教分離、あるいは宗教的中立をさすものとして使われるのである(満足圭江「現代フランス社会における『ライシテ

（政教分離）』概念の変容―イスラム子女のスカーフ問題をめぐって」『東洋哲学研究所紀要』20、2004年、125～126頁）。

戦後、1946年に制定された第4共和政憲法においては、ライシテということばが盛り込まれた。1958年憲法の第1条でも、「フランスは不可分で、ライックで、民主的で、社会的な共和国である。フランスは、出自、人種、宗教の区別なく、全市民の法の下の平等を保障する。フランスはすべての信念を尊重する」と規定された。ただ、ライシテの明確な定義がなされなかったため、その後、議論を呼ぶことになる。

フランス革命以降、フランス国内で、カトリックとプロテスタントのあいだの宗教戦争が起こったわけではない。むしろカトリック教会と対立したのは、ライシテの原則を確立しようとした世俗の権力であり、カトリック教会の力が公的な空間に及ぶことを徹底して阻止しようとした。これに教会が反発し、抵抗を試みるが、最終的には押し切られる形となった。カトリック教会の敵はプロテスタントから世俗権力に代わったが、共和制という敵は、フランスにおいてはプロテスタント以上に手強いものだったと言える。

ただ、ライシテの原則は確立されたものの、今日になると、世俗権力の前に別の敵が現れた。それが移民によってもたらされたイスラム教の信仰であり、移民の人口が増えることで、世俗の権力はイスラム教と対決せざるを得なくなった。

イスラム教は政教一致の宗教であり、そのあり方はライシテにそぐわない。両者の対立は、テロ事件などを生みつつ、現在でも続いている。フランスがライシテの原則を確立しようとしたとき、念頭にあったのはカトリック教会だが、いつの間にかそれはイスラム教に変化していたのである。

北アイルランド紛争

フランスはこのような方向にむかったわけだが、ヨーロッパにおいてカトリックとプロテスタントが対立する事態は、20世紀にも持ち越された。その代表が「北アイルランド紛争」であり、それはカトリックとプロテスタントとの宗教戦争の様相を呈した。

アイルランドは大ブリテン島の西側にある島国で、土着のケルトの文化が存在したが、キリスト教の聖人である聖パトリックによってカトリックの信仰が伝えられ、イングランドやスコットランド、ウェールズといったイギリスとは異なる歴史を歩んでいた。

イギリスでは、カトリックから離脱する形で聖公会が誕生するが、アイルランドではカトリックの信仰が保たれていた。イギリスは19世紀のはじめにアイルランドを併合し、「大ブリテン及びアイルランド連合王国」が成立するが、やがてアイルランドではカトリック教徒による自治の要求が高まり、20世紀になるとイギリスからの独立を果たす。

ところが、北アイルランドにはイギリスからのプロテスタントの入植者が多く、聖公会や長老派の信者が多数を占めていた。そのため、アイルランドが独立を果たした際には、北アイルランドだけがイギリスに残った。現在のイギリスの正式な国号が「大ブリテン及び北アイルランド連合王国」となっているのも、そのためである。

そして、北アイルランドがアイルランドから分離独立して以降、北アイルランド国内では、多数派のプロテスタントと少数派のカトリックとのあいだで宗教上の対立が激化する。戦後の１９６０年代になると、それは武装闘争に発展した。カトリック系の住民が組織した「アイルランド共和国軍（ＩＲＡ）」がアイルランドへの併合を求めたからである。

もし併合されれば、多数派のプロテスタントは少数派に転落する。両者は激しく争い、当時のサッチャー英首相に対する暗殺未遂事件まで起こった。あたかも、フランスにおいて第９次までくり返された宗教戦争が蘇ったかのようでもあった。

最終的に紛争が治まるのは、１９７３年にイギリスとアイルランドが同時にＥ

C（ヨーロッパ共同体）、現在のEU（ヨーロッパ連合）に加盟したことによってである。アイルランドは、1845年に主要作物であるジャガイモの飢饉に襲われ、多くの人間が飢えと病で亡くなり、100万を超える人たちがアメリカなどに移住した。その影響もあり、貧しい国にとどまっていたが、EUの一員になることで経済的な恩恵に浴した。また、EU内では国境を自由に行き来できるので、北アイルランドとアイルランドの国境も意味を失った。これで紛争が鎮静化するが、イギリスがEUを離脱したことが、今後どのような影響を与えるのか、懸念されるところでもある。

現在も続くカトリックとプロテスタントの対立

宗教改革からすでに500年以上の歳月が流れているが、カトリックとプロテスタントが平和的に共存する体制が十分に確立されたかと言えば、それは実現されていないように見受けられる。ドイツはその例外かもしれないが、それもカトリックとルター派を中心としたプロテスタントが勢力をほぼ二分しているからではないだろうか。北の諸州にプロテスタントが多く、南にカトリックが多いことで、棲み分けがなされている面もある。

しかし、それぞれの国でどちらかが多数派となれば、対立が起こる。ヨーロッパの多くの国は、カトリックかプロテスタントのどちらかが多数派を占めている。それも、信者の数ではかなりの隔たりがあることが多い。

EUが成立したとき、その背景にはキリスト教の信仰があるとされた。実際、イスラム教徒が多いトルコのEUへの加盟は実現されていない。正教会の信仰が多数を占める国でも、加盟しているのはギリシアだけである。

ただ、EUに、カトリックやプロテスタントが多数派を占める国々が同時に加盟していることの意味は大きい。この章で扱ってきたことを踏まえるならば、それは奇蹟的なこととも言える。

しかし、ヨーロッパにおける宗教戦争の痕跡や後遺症は、未だに何らかの形で存在しているのではないだろうか。そのあたりのことについてはあまり情報がないが、宗教をめぐる戦争が悲惨なものであったことを考えれば、その影響は無視できないように思われる。

また、「はじめに」でも触れたように、正教会内にも対立が起きている。正教会は国別民族別に分かれているのが特徴で、国家と密接な関係を持つ。そのため、国家間の紛争がそのまま正教同士の対立になり、２０１４年のクリミア侵攻以降、ロシア正教会の傘下にあったとウクライナ正教会が独立し、２０２０年のウクライナ侵攻をロシア正教会が積極的に支持するなど混乱が続いている。

次の章では、イスラム教を中心に「聖戦」の概念について見ていくことにしたい。

第4章

聖戦という考え方の誕生と変遷

聖戦とは

「聖戦」とは、戦争を宗教的に神聖視することを意味する。

現代で聖戦と言えば、イスラム教における「ジハード」を意味することが多い。

ただ、アラビア語のジハード本来の意味は「努力すること」にある。「大ジハード」と「小ジハード」の区別があり、大ジハードは個人の信仰を深めていく行為をさし、そこには戦いの意味はない。それが小ジハードになると、イスラム教とは異なる信仰を持つ者に対する戦いを意味し、その点で、一般に言われる聖戦に近くなる。

ジハードということば自体には、聖、神聖なものという意味がないことに注目する必要がある。それはイスラム教の本質とかかわる。イスラム教は、キリスト教や仏教とは異なり、聖なる世界と俗なる世界を区別しないという特徴がある。イスラム教に俗なる世界を離れた聖職者がいないことは、それを反映している。

イスラム教徒に課せられた義務としては「五行」がある。そのなかには、信仰告白、礼拝、断食、喜捨、巡礼が含まれるが、巡礼の目的地となるサウジアラビアのメッカにある「カアバ神殿」のカアバも、実は立方体を意味するアラビア語で、神殿の意味はない。こうした点を踏まえておかないと、正しくイスラム教を理解できない。

聖戦もあくまでイスラム教徒の信者としての努力の一環になるわけだが、戦いが信仰の拡大を目的としている以上、それは宗教的なものであり、その点に聖戦ということばが使われてきた理由がある。

イスラム教には、「イスラムの家」（ダール・イスラーム）と「戦争の家」（ダールル・ハルブ）とを区別する考え方がある。イスラムの家は「平和の家」とも言われるが、イスラム教徒が多数を占め、イスラム教でもっとも重視される「イスラム法」（シャリーア）が行き渡った社会のことを意味する。これに対して、イスラム教徒が少数にとどまり、社会全体にイスラム教の信仰が行き渡っていないのが戦争の家である。

このような聖戦や戦争の家という考え方があるために、イスラム教は好戦的な宗教であるというイメージが強い。そのイメージを強化する役割を果たしてきたのが、「右手に剣、左手にコーラン」ということばである。イスラム教徒は、相手に対して改宗を迫り、それを拒めば剣によって打ち倒すというわけである。

しかし、イスラム教が拡大していくなかで、選択肢は、剣かコーランかの二つに絞られたわけではない。むしろ重要なのは、「税」だった。この場合の税は「人頭税」のことである。

人頭税による異教徒の救済

イスラム教が広がった世界のなかで、人頭税を支払わなければならないのは、イスラム教以外の一神教徒だった。イスラム教では、ユダヤ教徒やキリスト教徒は同じ神の啓示が下されてきた仲間ととらえ、彼らを「啓典の民」として多神教徒から区別する考え方がある。啓典の民であれば、人頭税さえ支払えば自分たちの信仰を持ち続けることを許すというのが、イスラム教の原則だった。

したがって、イスラム教への改宗か、改宗を拒んで殺されるかの二者択一ではなかった。一神教徒であれば、自分たちの信仰を守り続けることができた。ただ、インドに成立したムガル帝国では、支配層のイスラム教徒が少数派で、ヒンドゥー教徒が多数派を占めたため、ヒンドゥー教徒が多神教であっても、啓典の民と同じ扱いをせざるを得なかった。

こうした点で、イスラム教は他の宗教と共存する体制を作り上げていたと言える。それは、他の宗教にはないイスラム教独特のあり方であった。

たとえば、祖国を追われ、各地に散ったユダヤ教徒からすれば、キリスト教の世界においては「キリスト殺し」という形でいわれのない差別を被り、大量虐殺の対象になることさえあった。それに比べたとき、イスラム教の世界の方が、ユダヤ教徒を啓典の民として扱ってくれるので、自分たちの安全性を確保することができた。

啓典の民の考え方を持ち、他の宗教と共存する手立てを持っているイスラム教だが、好戦的なイメージがつきまとうのは、一つは、誕生したばかりのイスラム教が、破竹の勢いでその信仰を拡大していったからではないだろうか。

イスラム勢力の好戦的なイメージ

イスラム教という新しい宗教を打ち立てたムハンマドが生きていた時代には、イスラム教の勢力はまだアラビア半島に限定されていた。それが、ムハンマドの後継者となった4代の正統カリフの時代には、現在のイラクやイラン、あるいはエジプトに広がった。そして、最初のイスラム帝国となったウマイヤ朝においては、東はアフガニスタンやパキスタン、あるいは中央アジアに及び、西は北アフリカからイベリア半島にまで版図を広げた。そこまでに150年もかかっていない。

もう一つ理由としてあげられるのは、13世紀末に生まれたオスマン帝国の存在である。オスマン帝国は、バルカン半島にも勢力を伸ばし、2度にわたってウィーンに迫るなど、ヨーロッパ世界に脅威を与えた。ビザンツ帝国（東ローマ帝国）を最終的に滅ぼしたのもオスマン帝国だった。

現在のトルコのイスタンブールは、かつてはコンスタンティノープルと呼ばれ、ローマ帝国、さらには帝国の東西への分裂後にはビザンツ帝国の中心として繁栄を享受した。ところが、オスマン帝国がそこを占拠して以降、イスラム教の勢力下におかれることとなった。オスマン帝国は、今から100年ほど前の1922年まで存続している。最後、近代化に失敗することで滅んでいくが、ヨーロッパの人々は長く、その存在に脅え続けなければならなかった。

こうしたことが、イスラム教が好戦的な宗教と見なされる要因になっているわけだが、さらに、現代においては、アメリカでの同時多発テロに代表されるように、イスラム教原理主義過激派によるテロ事件が頻発したことで、そのイメージが強化されることとなった。

もちろん、ほとんどのイスラム教徒はテロとは無縁である。なにしろイスラム教は、キリスト教に次ぐ世界第2位の宗教であり、膨大な数の信者を抱えているからである。原理主義過激派が少数であることは事実で、そこには世界情勢が深くかかわっており、単純にイスラム教の信仰にもとづいてテロが行われたわけではない。

それに、ここまで見てきたように、キリスト教の方がはるかに好戦的であるという見方もできる。十字軍は、聖地エルサレムを奪還するための戦いとしてはじまったわけで、イスラム教の側からすれば、自分たちが一方的に攻撃されたことになる。くり返された十字軍では、イスラム教の側が被害者である。プロテスタントが台頭することで、カトリックとのあいだに起こったヨーロッパにおける宗教戦争も激烈であり、その被害はあまりにも大きかった。

ではなぜ、イスラム教においてジハードが強調されるようになったのだろうか。

その理由を探る必要がある。

戦争を正当化した聖戦ということば

ジハードと言えば、それはイスラム教に特有の考え方だが、聖戦となれば他の宗教にもある。日本でも、大日本帝国として日中戦争から太平洋戦争を戦っていた時代には、さかんに聖戦ということばが使われた。正義の戦争ということであり、日本の宗教家の多くも、戦争を聖戦として正当化した。

大日本帝国の時代に聖戦が強調されたことについては、当時の政治体制が大きく影響していた。

近代の日本国家は、天皇を中心とした国家の建設をめざした。天皇は、大和朝廷の時代において日本全国を征服した権力者としての性格を持っていた。しかし、公家が力を持つと、摂政や関白の地位を独占した藤原家が天皇以上に権力をふるうようになり、さらに平安時代の終わりには武家が台頭し、武家政権の時代が長く続いた。江戸時代になれば、江戸幕府は朝廷をその管理下におくようになり、朝廷は官位を授けるための権威の役割しか果たせなくなる。

ところが、江戸時代末期になってくると、「尊皇攘夷」の声が高まり、江戸幕府に代わって政権の座についた明治政府は、天皇を中心とした古代の国のあり方に回帰することをめざすようになる。当初は天皇が直接に統治する「親政」がめざされた。

それも、近代国家を樹立する上で、国家を統合する要になる存在を必要としたからである。大日本帝国憲法を作るためにヨーロッパで憲法のあり方を学んだ伊藤博文などは、キリスト教が果たしている役割に着目した。しかし、日本にはキリスト教に匹敵する宗教が存在しない。伊藤は、それに代わるものとして皇室の存在を強調した。その結果、大日本帝国憲法では、皇室の神聖性が強調されることとなった。

こうした考え方が生み出される上で、もう一つ大きな影響を与えたのが国学だった。江戸時代の国学者の代表である本居宣長は、日本では王朝の交代が起こらなかったという点を強調し、そこに中国や朝鮮半島と比較したときの日本の優位性を見出した。もちろん、この宣長の考え方が、中国や朝鮮半島でも受け入れられたわけではない。しかし、大日本帝国憲法における天皇の位置づけには、こうした考え方が影響を与えていた。

天皇という神聖な存在を戴く大日本帝国は、「大東亜共栄圏」の構築をめざして、植民地を拡大し、それは中国やアメリカなどとの戦争に結びついていった。そこで聖戦ということが強調されることになるのだが、その背景に天皇の存在があることは否定できない。日本で聖戦という考え方が強調されるには、近代が生み出した天皇が帝国に君臨していることが不可欠だった。

そこには、「選民意識」が働いている。日本は、王朝の交代のない優れた国であり、そこに生きる大日本帝国の臣民は、帝国を拡大していく聖戦を戦い抜く使命を与えられているというわけだ。

ユダヤ人の選民意識

こうした選民意識を強く持っていたと指摘されるのがユダヤ人の場合である。ユダヤ人は国を追われることを幾度も経験し、最終的には「離散」(ディアスポラ)の状況に追い込まれた。王朝の交代すら経験してこなかった日本人とはまったく逆の経験をしてきたわけである。

離散するということは、自分たちのものではない国や帝国のなかで生活するわけで、すでに述べたように数々の迫害を受けてきた。拙著『宗教の地政学』(MdN新書)でもふれたが、イギリスに難民としてわたったユダヤ人は、積極的な経済活動を展開したがゆえに、イギリスの王家に重宝され、その金づるともなった。ところが、重税を課せられたため経済的にふるわなくなり、それによってイギリスから追放された。追放は350年以上にわたって続いたが、ふたたび入国が許されたのも、またしても経済的な貢献が期待されたからである。

こうした境遇におかれたならば、一つの選択肢としては、離散してたどり着いた土地に溶け込み、ユダヤ人としてのアイデンティティを消していくというやり方が考えられる。そうした選択がなされることの方が多いはずだが、ユダヤ人の多くは、自分たちのアイデンティティを守り通す道を選んだ。

その際に、安息日を守り、男子には割礼を施すことによって、他の宗教を信仰する人々とは一線を画した。安息日は、キリスト教やイスラム教にもあるが、ユダヤ教徒は土曜日を安息日とし、その日にはいっさいの労働を慎んだ。その遵守をどれだけ徹底するかで、ユダヤ教にはさまざまな派が生まれたが、現代なら車を運転することも、エレベーターのボタンを押すことも、それを労働と見なす派がある。

安息日を守り、割礼を施すことは、ユダヤ人が神によって選ばれた民である証である。それは彼らの抱いた選民意識の基盤となるものだが、それにもとづいてユダヤ人が宗教戦争を仕掛けたわけではなかった。離散するきっかけになった2回にわたるユダヤ戦争は、ローマ帝国の属州となったユダヤの人間たちがローマ帝国に対して反抗したものだったが、それも彼らがパレスチナに居住していたからで、離散して以降は、そうした武力による反抗が封じられてしまった。離散してたどり着いた土地では圧倒的な少数派であり、武力をもって立ち上がることなどできなかった。その点では、ユダヤ人の選民意識は宗教戦争には結びつかなかったことになる。

それに対して、キリスト教以上にユダヤ教の影響を受けたイスラム教において、その拡大は宗教戦争の様相を呈するようになり、それが聖戦であることが強調されることとなった。なぜそうなったのか、その理由について考える必要がある。

ムハンマドの出現以前と以降

イスラム教の発生については、第2章でもふれた。そのきっかけを作ったムハンマドの個人の意識では、自分がイスラム教という新しい宗教をはじめたわけではなく、ユダヤ教の聖典であり、キリスト教もそれを旧約聖書として取り入れたトーラーの冒頭にある「創世記」に登場するアブラハムから信仰がはじまるという立場をとった。ただ、イスラム教では、ムハンマドが神の啓示を説くようになる以前の時代を「無道時代」(ジャーヒリーヤ)と呼ぶ。ムハンマドに神の啓示が下されるようになったことで根本的な革新が果たされたというわけである。

ムハンマドが登場する以前、アラビアは多神教の世界だった。そして、「部族」ということが極めて重要だった。その点について、イスラム学の井筒俊彦は、『イスラーム生誕』(人文書院)で次のように述べている。

アラビアの沙漠においては、人間生活の単位は個人ではなく部族だった。部族は「血」の共同性を基礎として成立する。彼らにとって血のつながりほど神聖なものはない。文字通り神聖なのだ（27―28頁）。

アラビアの砂漠で生活していたのは遊牧の民ベドウィンだった。彼らは血のつながりを決定的に重視していたが、血のつながりとは、共通の始祖を持つことを意味する。

ムハンマドの場合、クライシュ族のハーシム家に属しているとされる。その後のイスラム教の歴史においても、ムハンマドの後継者となるカリフの資格の一つとしてクライシュ族であることがあげられ、そのことは極めて重要だった。

クライシュとは、ムハンマドの11代前の人物のことで、その人物を共通の祖先とする人々がクライシュ族である。当然、こうした血のつながりは、さらに過去に遡ることができるわけで、アラブの世界は、カフターン族とアドナーン族に二分され、クライシュ族はそのうちアドナーン族に遡るとされる。そして、ハーシム家は、西暦500年頃に亡くなったムハンマドの曾祖父からはじまる。

こうした部族の行動を規定したのが、過去から受け継がれてきた「慣行」（スンナ）である。スンナはイスラム教でも重視されることになるが、その意味合いは部族におけるものとは異なっていた。というのも、ムハンマドは、部族のスンナをまっこうから否定してしまったからである。

それぞれの部族が独自のスンナを強調している限り、全体が統合されることはない。井筒はその点について、「無道時代のアラビア沙漠では、人々の外的生活の大部分が部族相互間の分化・分裂であり、対立、衝突、闘争の繰り返しであったことは言うまでもない」と指摘している（30頁）。

ムハンマドは、こうした状況に根本的な危機感を抱いたようだ。商人として活動していたムハンマドは、40歳の頃に悩みを抱えるようになり、洞窟にこもって瞑想をするようになった。その悩みが具体的にどのようなものであったかははっきりとは伝えられていないのだが、彼の前に天使ジブリール（ガブリエル）が現れ、神の啓示を伝えるようになる。そこからムハンマドは、唯一絶対の創造神、アッラーに対する信仰を説くようになる。

ただし、アッラーは神の名ではない。アッラーは神を意味する普通名詞で、ムハンマドが啓示を受ける前の時代にも、アラビアの人々はアッラーを信仰していた。ただ、ムハンマドの出現以降とそれ以前では、アッラーの位置づけが異なっていた。以前は、メッカの守護神の一つという位置づけだった。

こうしたアッラーに対する信仰は、ユダヤ教によって生み出されたもので、キリスト教にも受け継がれた。しかし、ムハンマドは、キリスト教の信仰のあり方に対して否定的だった。

ムハンマドの考える一神教信仰

まず、キリスト教ではイエス・キリストを神の子と位置づけているわけだが、ムハンマドに下された神の啓示を集めた『コーラン』では、イエスは「マルヤムの子」とされる。マルヤムとはマリアのことである。ただ、マリアが処女懐胎したことについては、『コーラン』の第66章には、「また、イムラーンの娘マルヤムを。彼女は陰部を守り、われらはそこにわれらの霊から吹き込み」（12節、前掲『日亜対訳クルアーン』）とあり、認められていた（ここでわれらとされているのは、「尊厳の複数」と言われるもので、アラビア語やヘブライ語では高位にあるものが自分をさして複数で言及することがある）。

ムハンマドが、キリスト教の教義のなかでもっとも強く批判したのが「三位一体説」だった。ムハンマドは、三位一体を構成する位格が神、イエス、そしてマリアからなると誤解していたものの、『コーラン』第5章では、「『アッラーは三のうちの第三である』と言った者は信仰を拒んだのである。そして唯一の神のほかに神はない。そして彼らが言っていることを止めなければ、信仰を拒んだ者たちを痛苦の懲罰が必ず襲うであろう」と述べられている（73節）。ムハンマドの立場からすれば、キリスト教の三位一体説は唯一絶対の神への信仰からの根本的な逸脱なのである。

これはキリスト教批判になるわけで、キリスト教が三位一体説を採用することで多神教に道を開いたことが問題視されている。ムハンマドにとって敵は多神教徒であり、だからこそ第1章でもふれたように、『コーラン』には多神教徒を見つけ次第殺せという箇所が存在するわけである。

そして、この多神教への批判は、ムハンマドの部族への批判と連動していた。というのも、各部族はそれぞれが固有の神を信仰しており、多神教だったからである。ムハンマドは、カアバに祀られていた部族の神像を一掃した。それ以降、カアバの内部には、信仰の対象となるようなものはまったく存在しなくなった。

イスラム教が誕生した当初の段階でムハンマドが直面した事態は、日本の戦国時代に織田信長がぶつかったことと似ているかもしれない。それぞれの地域にいた武士たちは、その地域を支配する大名となり、領地の拡大をめぐって相争っていた。信長は、天下統一を旗印に掲げて大名たちと戦い、次第にその支配地域を広げていった。

ただ、信長とムハンマドの根本的な違いがあるとすれば、信長は宗教の力によって統一を果たそうとしたわけではないことがあげられる。それに対して、ムハンマドは唯一絶対の神への信仰によって部族社会の統合をはかろうとしたのである。

ムハンマドは7世紀の人間で、信長は16世紀の人間である。宗教の力に頼るかどうかでは、時代が中世であるか、それとも近世であるかで大きく異なってくるわけだが、ムハンマドが、ユダヤ教やキリスト教といった一神教に接していたことが大きな意味を持った。

ムハンマドが最初に神の啓示を受けたのは、610年頃のこととされる。それ以降、生涯にわたって啓示を受け続けることになるが、亡くなったのは632年であった。啓示を下されていた期間は20年を超えた。

そのために、『コーラン』は分厚い書物になっているわけだが、はじめメッカにいたムハンマドは、その地で迫害を受けたため、622年にメディナに遷っている。これは「ヒジュラ」と呼ばれ、イスラム暦はこの年を元年としている。メディナでのムハンマドは多くの信奉者を獲得することに成功し、そこにイスラム教徒による共同体「ウンマ」が成立するからである。

ここで重要なことは、当初のメッカ時代の啓示とメディナに遷った時代の啓示の違いである。『コーラン』のそれぞれの章では、メッカ啓示か、メディナ啓示かがはっきりと示されている（『日亜対訳クルアーン』では「垂示」ということばが使われている）。

コーランの成り立ち

『コーラン』は、ムハンマドの死後にまとめられたものである。コーランの意味は、「読誦すべきもの」である。読誦とは聖典を声に出して読むことを意味しており、ムハンマド存命の時代には口伝えされていた。そもそもムハンマドは読み書きができなかったとも言われている。ただ、ムハンマドが商人として活動していたことを考えると、まったく読み書きができなかったのかどうか、疑問の生じてくるところである。実際、読み書きができたという説もある。

口伝えされていた時代、疑問が生じたとき、ムハンマドが生きていれば、正しいかどうかを尋ねることができた。ところが、ムハンマドが亡くなるとそれができないわけで、死の直後には『コーラン』の編集が行われ、第3代のカリフ、ウスマーンの時代には一冊の書物にまとめられたとされる。

これは、標準となる『コーラン』で「ウスマーン版」と呼ばれるが、ウスマーンは、それ以外のものを焼却させている。ただ、1972年に発見された「サナア写本」や、2015年に発見されたイギリスのバーミンガム大学に長く保管されていた写本が存在する。バーミンガム大学のものは放射線炭素年代測定法により568年から645年のものであるという結果が出ている。ウスマーンが『コーラン』を一冊の書物にまとめさせたのは650年頃のこととされるので、それ以前の写本である可能性がある。

こうした写本を除けば、『コーラン』には異本や外典というものが存在しない。ユダヤ教とキリスト教の聖典に多くの外典があるのとは対照的である。

『コーラン』のもう一つの特徴は、おおむね長い章から順におさめられていることである。第1章だけは短く特別だが、第2章が282節あるのに対して、最後の第114章は6節しかない。それよりも節が少ない章もある。

これは、初期仏教の経典である『阿含経』の構成の仕方と似ている。『阿含経』を構成するのは『長阿含経』、『中阿含経』、『雑阿含経』だが、それぞれ長編、中

編、短編の経典の集成である。
『コーラン』におけるメッカ時代の啓示の特徴について、井筒は、その「基調は威嚇と恐怖である」と指摘している。「かの不気味な妖気を湛えた旧約の神の怒りの神の影像が、コーランのこの部分に圧倒的な印象を刻みつけている」というのだ。
井筒は、メッカ時代のムハンマドは神の啓示を「警告」としてとらえていたとする。ムハンマドには警告者の役割を与えられている。何を警告しているかと言えば、それは最後の審判が近づいていることだった。
旧約の神ということは、最初ユダヤ教徒

が信じていた神ということになるが、ユダヤ教の聖典（旧約聖書）のなかには、「ダニエル書」に代表されるように、「黙示文学」と呼ばれるものがある。こうした作品の作者は、夢や幻視のなかで、神によって創造された世界が堕落し、最終的な裁きが行われることを教える。新約聖書の最後におさめられた「ヨハネの黙示録」は、こうした黙示文学をもとにしており、やがてイエスは、最後の審判が訪れる際に再臨し、悪を滅ぼして、神の国である「千年王国」を打ち立てるという信仰が生み出されていく。メッカ時代のムハンマドは、こうしたユダヤ教からキリスト教に受け継がれた信仰を改めて強調したことになる。

ムハンマドの環境の変化

神の啓示のなかでももっとも初期の時代のものとされる第101章では、最後の審判が「大打撃」と表現されている。第82章も、「天が裂けた時、そして星々が飛び散った時、そして、海洋が溢れ出させられた時、そして墓が掘り起こされた時」ではじまり、敬虔な者は至福のなかにあるが、「背徳者たちは焦熱地獄の中にいる。裁きの日、彼らはそれに焼べられ」るとされている。

世の終わりが近づいていることを強調することによって宗教がその勢力を拡大していくのは、いつの時代にも見られる。とくにそれは社会が危機に瀕している時代、あるいは、大きな変革期にあるときに起こる。また、宗教の側からすれば、世の終わりを説くことほど勢力を拡大していくのに都合のいい手段はない。

たとえば、日本の代表的な新宗教教団である大本は、大正時代に「大正10年立替之説」を唱え、世の中が根本的に改まることを予言し、多くの信者を集めた。危機意識が高まり、救いを求めて入信してくるからである。しかし、これは教団が弾圧される原因ともなり、予言が外れたことで、多くの信者が教団を去っていった。

イスラム教の場合でも、もしムハンマドがメッカにとどまり、世の終わりが切

メッカとメディナの位置

迫していることを説き続けたとしたら、予言が外れるときを経験しなければならなかったであろう。ただし、L・フェスティンガーらによる古典的な研究『予言がはずれるとき―この世の破滅を予知した現代のある集団を解明する』（勁草書房）が示しているように、むしろ予言が外れたことを正当化する新たな解釈を生み出していくことで、その宗教がより長く続いていくことがある。

イスラム教では、そうしたときが訪れる前にヒジュラがあり、ムハンマドはメッカからメディナへと遷った。この環境の変化は、啓示の内容を大きく変えていく。井筒は、ヒジュラによる変化について、「ムハンマドの姿勢は否定的であることをやめて積極的に」なったと指摘している。終末論は次第に遠のき、「啓示の内容は著しく現世的と」なった。井筒は、警告が「導き」に変わったとする。そして、ムハンマド自身、「祭政一致の大国家を建設しようという野心的な政治家」に変貌したというのである。

ムハンマドが築き上げようとした世界

問題は、ここで言われる「祭政一致の大国家」である。それは、イスラム教徒の共同体、ウンマの拡大であり、この章のはじめに述べたイスラムの家、平和の家の拡大である。

それが祭政一致であるというのは、イスラム法、シャリーアが深くかかわっている。イスラム法の法源になったのが、『コーラン』と『ハディース』である。

ムハンマドは、イエスと異なりただの人間である。ムハンマド自身、その点を強調していた。しかし、神の啓示を受け、それを正しく解釈できたのはムハンマドただ一人であるというのがイスラム教の立場であり、その点でムハンマドは特別な存在である。そのため、ムハンマドの言動は、信者たちの従うべき模範としての性格を持つようになり、それについての伝承は、無道時代の各部族における慣行と同様に「スンナ」と呼ばれるようになった。

ムハンマドのスンナには定まった形式があった。そのスンナを誰が伝えているのか、必ずその人物、伝承者が示されている。「○○によれば、預言者はある時、このように言った、このように行動した」という形式である。

スンナもまた、伝承者によって記憶されていたものである。そのなかには、虚偽のものもあれば、不正確なものもあった。そこで、イスラム教の法学者である「ウラマー」は、それぞれのスンナを研究し、正しいかどうかの判断を行った。

それによって、正しいとされたスンナを集めたものが『ハディース』である。ハディースは伝承を意味する。

『ハディース』を編纂した法学者は何人もいて、『ハディース』によってそこにおさめられたスンナは異なっている。正しいかどうかの判断を下す上で、伝承者が誰かは決定的に重要で、ムハンマドの身近にいた人物ほど伝承するスンナの数は多く、そうした人物のスンナが真正なものと見なされた。

たとえば、巡礼のやり方などは、ムハンマドが行った最後の巡礼についてのスンナに従ったものである。ムハンマドは、そのとき、カアバのまわりを7回まわった。それが、今日でも巡礼の最初の作法となっている。なぜ7回なのか、その理由をムハンマドは語っていない。

『コーラン』にしても、『ハディース』にしても、そこには宗教の領域にかかわることだけではなく、日常の生活にかかわることも具体的に指示している。イスラム教徒はその指示に従って生活を営むわけで、イスラム法のカバーする領域は広範に及ぶ。それは、憲法でもあり、刑法や民法でもあり、慣習でもあれば、エチケットでもあった。

ムハンマドが築き上げようとした世界は、そこに生きるすべての人間が、イスラム法に従って生活を営む社会である。その点で、イスラム教の信仰は個人を単位とはしていない。社会ということが常に問題になる構造をとっている。

井筒は、祭政一致の大国家を建設しようとするようになったムハンマドに下された神の啓示が、「信徒に向かって盛んに戦闘を勧め出す」ようになったことを指摘している。聖戦、ジハードの勧めになったというのである。

その点では、イスラム教のなかにジハードの考え方が生まれてくるのは、そのあり方からして必然的なものだったことになる。

イスラム帝国の拡大

ジハードが強調されることで、イスラム教は拡大していくことになり、ムハンマドの後継者となった第2代の正統カリフ、ウマルの時代には戦利品や税を徴収することで、莫大な収入が入ってきた。それはムハンマドの近親者や初期からの信者のあいだで分配され、戦士たちにも俸給が支払われた。

しかし、正統カリフの時代は、イスラム教の内部で抗争がくり返された。その結果、第3代のカリフであるウスマーンと第4代のアリーは暗殺されている。これは、後にアリーを信奉する人々によってシーア派が生まれることに結びついていく。

それでも、661年に成立し750年まで続いたウマイヤ朝や、750年に成立し1258年まで続いたアッバース朝といったイスラム帝国が支配領域を拡大し、イスラム教の信仰はそうした領域内に広まっていった。

ウマイヤ朝では、他の宗教からイスラム教に改宗した人間は「二級ムスリム」の扱いを受け、人頭税の支払いを求められたが、アッバース朝ではそうしたこともなくなり、イスラム教への改宗者が増えた。啓典の民は人頭税さえ支払えば、その信仰を持ち続けることができたわけだが、税金の支払いを免れるには改宗した方が得策だった。

こうした段階になると、戦闘によってイスラム教の信仰を拡大していく必要はなくなる。イスラム帝国の領域内で自発的に改宗が行われるからである。帝国が拡大することで、その領域内を自由に商人が行き来できるようになり、交易が発達する。しかも、イスラム教徒は高度な灌漑技術を発展させており、それが経済的な豊かさをもたらした。

経済的な豊かさが実現されれば、文化も発展する。イスラム帝国が拡大した領域内には、エジプトやバビロニアなど古代に文明が栄えた地域が含まれ、アッバース朝の首都となったバグダードは、その時代において世界最大の都市となった。

第2章でも述べたように、バグダードには、830年ごろに成立した「知恵の館」という高等教育機関があり、ギリシア語の文献のアラビア語への翻訳が行われた。翻訳されたもののなかには、プラトンやアリストテレスの哲学書、ヒポクラテスやガレノスの医学書、あるいは数学書が含まれ、それをもとにイスラム教の哲学者も輩出された。これがイスラム教世界の繁栄に結びつき、十字軍の時代においては、イスラム教の世界の方がキリスト教の世界に比べて、より高度な文明を享受していたのだった。

十字軍遠征の終焉

しかし、11世紀の終わりには十字軍が起こる。その時代には、アッバース朝はすでに衰え、代わってセルジューク朝やファーティマ朝が台頭し、十字軍に反撃したサラーフ＝アッディーン（サラディン）によってアイユーブ朝も樹立された。しかし、こうしたイスラム王朝同士の対立もあり、エルサレム王国などの十字軍国家の建設を許すことにもなった。

十字軍の遠征が最後を迎えるのは、1291年にエルサレム王国の首都、アッコンが陥落したことによってである。それ以降、新たな十字軍は召集されなかった。ただ、十字軍が打ち立てた十字軍国家は、第4回十字軍でいったんビザンツ帝国が征服された後、ラテン王国などの形をとるようになり、聖ヨハネ騎士団が進出したロードス島が陥落するのは1522年のことだった。

まだ十字軍の遠征が続いていた時代、イスラム帝国にとっての新たな敵が登場した。それがモンゴル帝国で、その創始者チンギス・ハーンは、1215年に女真族の金を打倒したのを皮切りに、急速にその領土を拡大し、イスラム教が広がった地域にまで迫っていった。

宗教の面から見たモンゴル帝国の特徴は、特定の信仰を核にしていないところにあった。チンギス・ハーンは、天の声を聞いて征服に打って出たとされるものの、そこには体系的で明確な信仰はなく、宗教と呼べるようなものはなかった。そのため、モンゴル帝国では、進出した地域の信仰が取り入れられた。代表的なものがチベット仏教だが、イスラム教が広がった地域ではイスラム教が採用された。

そうなると、イスラム教徒にとって、モンゴル帝国の支配者は信仰を同じくする仲間ということになる。そうであれば、モンゴル帝国の支配に対してジハードを仕掛けることが難しくなる。

13世紀の半ばのことになるが、イブン・タイミーヤという法学者が、モンゴル人がイスラム教に改宗したことに疑いの目を向けるようになった。タイミーヤは、モンゴル人が打ち立てたイルハン朝とは対立するマムルーク朝の従軍法学者だった。タイミーヤは、モンゴル人は表向きはイスラム教徒だが、中身は違うとし、モンゴル人に対する戦いはジハードにあたるとそれを正当化した。

タイミーヤは、神を絶対視し、途中から分派したシーア派や、イスラム教の神秘主義であるスーフィズムに否定的で、シャリーアの法源はもっぱら『コーラン』と『ハディース』によるべきだと主張した。その主張が当時としてはあまりに過激だったため、何度も投獄され、最終的には獄死している。

タイミーヤの出現によって、ジハードの概念は拡張された。ただ、タイミーヤの思想は、その死後、長く忘れられ、顧みられることもなかった。ところが、18世紀半ばにアラビア半島において、イブン・アブドゥル＝ワッハーブが現れ、タイミーヤの思想を取り上げ、ワッハーブ派が台頭することになる。これには、豪族のイブン・サウードが共感を示した。ワッハーブ派は、神の唯一性を強調し、イスラム教のなかにある聖者崇拝など多神教につながりかねない要素を極力排除することをめざした。

さらに、イブン・タイミーヤの思想を現代に蘇らせたのが、「サラフィー主義」になる。サラフィーとは先祖や先人を意味し、具体的にはまだムハンマドが生きていた時代のイスラム教の信者のことをさす。その時代には正しいイスラム教の信仰が確立されていたとするのが、サラフィー主義の立場である。

さらに、そうした時代の信仰に立ち戻ることをめざして戦うことが「サラフィー・ジハード主義」と呼ばれるようになる。アルカイーダにしても、イスラム国にしても、このサラフィー・ジハード主義にもとづいている。

ただ、サラフィー・ジハード主義は、正しいイスラム教の教えが広まっている社会の再興をめざすものであり、必ずしも戦いを起こすことを目的としたものとは言えない。戦って相手を打ち破っても、それで信仰が広がるわけではない。信仰の強制は、サラフィー主義とは対極にあるとも言える。

過激化するジハード

このように、イスラム教における聖戦、ジハードの考え方は、時代を経ることによって変容をとげてきた。それも、イスラム教の世界がおかれた状況が大きく変わってきたからで、外側からの脅威を受けたときに、ジハードが強調され、それが過激な行動に結びついていった。

十字軍の時代には、イスラム教の文明は繁栄し、キリスト教の文明をはるかに凌駕していたわけだが、それ以降、ヨーロッパのキリスト教文明は、イスラム帝国やビザンツ帝国が保持してきたギリシア語の文献を取り入れることで、12世紀ルネサンスや14世紀に起こる本格的なルネサンスを経験し、高度な文明を築き上げることに成功する。それでも、ヨーロッパはオスマン帝国の脅威にさらされたのだが、近代に入ると、産業革命を引き起こしたことで、優位な立場を築き上げることに成功する。

それは、イスラム教が広がった地域の植民地化に結びつき、欧米諸国の支配を受けることとなった。その後、各国は独立は果たすものの、イスラム教の世界は近代化に後れをとった社会として不利な立場に追い込まれた。その状況を打破するためにサラフィー・ジハード主義が強く唱えられ、過激派はテロ行為に及ぶことになった。時代のあり方がジハードの中身を大きく変えてきたのである。

次には、これまで扱ってこなかった宗教戦争についてふれることにする。

第5章

帝国と国民国家における宗教とその対立

オスマン帝国の拡大

前の章では、イスラム教における聖戦、ジハードの考え方がどのようにして生み出され、また歴史を経るなかで、どのように変化をとげてきたかを見ていった。根本には、イスラム教徒の共同体であるウンマの拡大が目的となっているわけだが、イスラム教世界に危機が訪れたときには、そこに新たな意味が付け加えられていった。

しかし、イスラム教がジハードの考え方にもとづいて宗教戦争を起こしたかと言えば、そういう事実はない。十字軍はキリスト教の側が仕掛けたもので、イスラム教の側は不意を突かれたような形になった。当初の段階ではイスラム教の側は統制がとれておらず、劣勢に追い込まれ、十字軍国家の建設を許してしまった。

やがて、サラーフ＝アッディーンという英雄が現れて、反撃に転じる。それによって十字軍国家を打ち倒していくが、エルサレム王国を崩壊に導くには建国以来200年近い歳月が必要だった。その後も、周辺の地域には十字軍国家が存続し、完全にそれが消滅するのは16世紀になってからのことだった。

その間に、イスラム帝国として版図を広げたのがオスマン帝国だった。オスマン帝国は、当初、小国に過ぎなかったが、コンスタンティノープルに近いアナトリア（小アジア、現在のトルコ共和国のアジア側）に生まれたことで、ビザンツ帝国に迫りやすく、地中海の中心的な地域を制圧することでヨーロッパに絶大な脅威を与えた。

オスマン帝国はオスマン侯国としてはじまるが、第3代の皇帝ムラト1世（在位1362年頃〜1389年）の時代に、アナトリアではアンカラの南に勢力を広げていく一方、バルカン半島にも進出した。バルカン半島は、かつてはビザンツ帝国の領土だった。ところが、ブルガリアやセルビアが独立し、ビザンツ帝国が支配していたのは南東部のトラキアやマケドニアだけになっていた。

ビザンツ帝国の支配力が及ばなくなったバルカン半島にオスマン帝国は勢力を

広げ、ムラト1世の後を継いだバヤズィト1世（在位1389〜1402年）の時代になると、ビザンツ帝国やブルガリア、セルビア、さらにはアルバニアの軍勢を引き連れてアナトリアの南西部を征服していく。さらにバヤズィト1世は、アナトリアの東部を征服するとともに、バルカン半島ではブルガリアやセルビアを属国にしていった。

新たなる十字軍の結成

1394年、オスマン帝国はビザンツ帝国の首都、コンスタンティノープルを包囲するとともに、ギリシアに遠征しペロポネソス半島を占領した。このようにオスマン帝国がバルカン半島やギリシアにまで版図を広げ、コンスタンティノープルを攻撃したことで、ヨーロッパの側には強い危機感が生まれ、新たに十字軍が結成された。「ニコポリスの十字軍」である。

すでにこの時代には、エルサレムを奪還するための十字軍の派遣は終わっており、ニコポリスの十字軍が第10次の十字軍に数え上げられるわけではないが、イスラム教の側との戦いは十字軍として召集される伝統がその後も続いていた。

教皇ボニファティウス9世が呼びかけたニコポリスの十字軍には10万人近い人々が応じた。しかし、十字軍は十分には統率されておらず、戦略も命令系統も確立されていなかったため、オスマン帝国によって撃破され、多くの兵士が命を落とし、あるいは捕らえられて処刑されてしまった。

十字軍の弱体ぶりと比較したとき、オスマン帝国の軍隊は強力だった。オスマン帝国が採用した軍隊の制度としては「ティマール制」があった。これは、騎士たちに地域の徴税権を与え、その代わりに軍事義務を課す制度である。

さらに、バルカン半島においては常備軍として「イェニチェリ軍」を創設した。その際には、「デウシルメ」と呼ばれる強制的な徴兵が行われ、バルカン半島のキリスト教徒の子弟が対象になった。彼らは「スルタンの奴隷」とも呼ばれたが、騎馬隊や砲兵隊も含む鉄砲部隊で、近代的な軍隊の先駆をなすものだった。

ただ、トルコ・モンゴル系の帝国、ティムールが台頭することで、オスマン帝国は一時、アナトリアなどを奪われた。さらに、皇帝までティムールの捕虜となり、空位となったため、それぞれの君侯国が分立する状態となり、帝国としての体をなさなくなった。それでも、メフメト1世（在位１４１３～１４２１年）の時代に帝国は再興され、１４５３年にはコンスタンティノープルを陥落させ、ビザンツ帝国を崩壊させる。これによって、オスマン帝国はバルカン半島やギリシア全土を支配下におくこととなった。

ヨーロッパの火薬庫

20世紀初頭になると、バルカン半島は「ヨーロッパの火薬庫」と呼ばれ、危険な地域と見なされた。そして、ソヴィエト連邦が解体された後には、熾烈を極めたユーゴスラビア紛争が10年にわたって続いた。そこには、バルカン半島における宗教をめぐる複雑な状況が影響を与えていた。

大きいのは、バルカン半島が最初、ビザンツ帝国の支配下におかれ、その後にオスマン帝国が進出したことである。ビザンツ帝国は、正教会の信仰をバルカン半島に広めた。帝国の首都となったコンスタンティノープルにはコンスタンティノープル総主教座が設けられ、それは正教会においてもっとも権威を持つ総主教座とされた。

それに対して、オスマン帝国は、基本的にはイスラム教の帝国であり、バルカン半島にイスラム教の信仰を広めていくことに貢献した。

以前は、オスマン帝国ではなく、「オスマントルコ」という呼び方が使われた。オスマン帝国の脅威にさらされたヨーロッパでも、トルコということばには、「力が強く乱暴で冷酷な奴」というイメージがつきまとった（新井政美『オスマンvs.ヨーロッパ――〈トルコの脅威〉とは何だったのか』講談社学術文庫、17頁）。

しかし、オスマン帝国にはトルコ人だけが含まれたわけではなく、ギリシア人、アラブ人、セルビア人、クルド人、ブルガリア人、アルバニア人、アルメニア人が含まれていた。イェニチェリ軍に組織されたキリスト教徒も、イスラム教に改宗したわけではなく、帝国には多くのキリスト教徒も含まれていた。

イスラム帝国には、すでに述べたように、キリスト教徒やユダヤ教徒と共存する仕組みが備わっており、事情はオスマン帝国でも同じだった。そのため、メッカに巡礼したイスラム教徒が「ハジュ（ハッジ）」として周囲の尊敬を集める一方で、エルサレムに巡礼を果たしたキリスト教徒も同じようにハジュと呼ばれ、イスラム教徒からも一目おかれた。エルサレムには岩のドームがあり、そこはイスラム教徒にとっての聖地でもあった。

私たちは、それぞれの宗教の信者は、その宗教だけを信仰していて、他の宗教の信仰は持たないものだと考えている。ところが、実際の状況を見てみると、二重国籍のように、「二重信者」はいくらでも見かける。私が具体的に知る例では、カトリックと真如苑、立正佼成会とサイエントロジー、旧統一教会と幸福の科学を同時に信仰している人たちがいる。そもそも日本人の多くは、神社の氏子でありつつ寺院の檀家でもある。

かつてのバルカン半島では、そうした状況がむしろ一般的だった。マーク・マゾワーの『バルカン―「ヨーロッパの火薬庫」の歴史』（井上廣美訳、中公新書）では、「キリスト教徒はイスラム教徒の智慧を利用し、モスクや修道場（テッケ）から護符や聖なる土を集めた。また、あるキリスト教の殉教者の伝説には、イスラム教徒の女性が総主教によって病を癒されたという話が出てくる」と述べている（110頁）。テッケとは、イスラム教の神秘主義、スーフィズムの教団の施設のことである。

イスラム教徒は、イスラム教法学者であるウラマーのところへ相談に行き、そこで思わしい回答が得られないと、ユダヤ教のラビのもとへ行った。「セカンドオピニオン」を得るためである。聖母マリアも、イスラム教徒のトルコ人にも信仰されていた。

20世紀になってもこうした状況に変化はなく、集団礼拝が行われる金曜日にはモスクへ行き、ミサが行われる日曜日には教会へ行く人間がバルカン半島では当たり前に存在した。

マケドニア西部の農民たちになると、宗教は何かと問われると、十字を切った上で、「イスラム教徒ですけど、聖母マリアのですよ」と答えたという。異なる宗教が共存していただけではない。混在し、そこには明確な区別はなかった。

ナショナリズムの台頭

ところが、近代になると、こうした状況に変化が起こる。オスマン帝国が解体され、トルコ共和国が誕生するのは1922年、日本では大正11年のことである。すでに時代は近代に突入していた。近代の波は、オスマン帝国にすでに押し寄せていたことになる。その波のなかには、ヨーロッパで生まれた「ナショナリズム」の考え方が含まれていた。

岩木秀雄は、「帝国から国民国家へ―オスマン帝国における共存形態の変容と崩壊」(『東洋哲学研究所紀要』第30号、2014年)において、「多宗教共存のオスマン帝国に、西欧よりナショナリズムが流入し、欧米列強の思惑も加わって帝国が民族によって分断された」ことを指摘している。こうした状況に対して、オスマン帝国は、帝国の住人をすべて平等に扱う「オスマン主義」で対抗しようとしたが、第1次世界大戦後、オスマン主義は、オスマン帝国の解体とともにその力を失った。

バルカン半島でこうした事態が鮮明な形をとるのは、ベルリンの壁崩壊によって冷戦構造が崩れた後のことである。金森俊樹「バルカン半島地域における宗教と地域紛争―宗教をめぐる紛争とアイデンティティを中心に」(『社学研論集』Vo.20 2012年9月)によれば、冷戦構造が解体される前の1980年代末には、バルカン半島では急速な社会変動のなかで宗教回帰の傾向が強まり、それはとくに若者層において顕著だったという。

こうしたことが、やがてユーゴスラビア紛争において顕在化し、異なる宗教を信仰する者のあいだでの対立を深めていくこととなった。

ユーゴスラビアの宗教分裂

第2次世界大戦が終わった後、ユーゴスラビアは東側陣営に含まれてはいたものの、「自主管理社会主義」を掲げ、ソビエト連邦とは一定の距離をおいていた。ユーゴスラビアに含まれるのは、マケドニア、セルビア、ボスニア・ヘルツェゴビナ、クロアチア、スロベニア、モンテネグロという六つの社会主義共和国だった。

マケドニア（現在は北マケドニア共和国）の宗教については、正教会が70パーセントと多数派だが、29パーセントのイスラム教徒を含んでいる。

　セルビアでは、セルビア人が大半を占め、その宗教は正教会である。ほかに、カトリックを信仰するマジャル人やクロアチア人、イスラム教を信仰するボシュニャック人やアルバニア人がいる。

　ボスニア・ヘルツェゴビナでは、ボシュニャック人が人口の半分近くを占め、ほとんどがイスラム教である。3分の1以上をセルビア人が占め、こちらは正教会である。人口の15パーセント程度を占めるクロアチア人はカトリック教会である。

　クロアチアになると、クロアチア人が90パーセント以上を占め、カトリック教会を信仰する。他に少数派として、正教会のセルビア人とイスラム教のボシュニャック人がいる。

　スロベニアでは、90パーセント近くがスロベニア人で、2パーセント程度をクロアチア人が占めるが、カトリック教会の割合は60パーセント弱で、無宗教が3

分の1以上を占めている。

モンテネグロだと、モンテネグロ人が45パーセント、セルビア人が29パーセントで、どちらも正教会であるため正教会の信者が74パーセントを占めている。ほかにボシュニャック人が9パーセント、アルバニア人が5パーセントで、イスラム教徒が18パーセント近くになっている。

このように、旧ユーゴスラビアではそこに含まれる国によって民族の構成が異なり、それに従って信仰される宗教も異なっている。その結果、正教会とイスラム教、それにカトリック教会が拮抗する形になっている。

ナショナリズムに結びついた宗教対立

すでに述べたように、正教会はビザンツ帝国が、イスラム教はオスマン帝国が広めたことになるが、カトリック教会については地理的な要因が大きい。カトリックの信者が多いスロベニアはヴァチカンのあるイタリアと国境を接しているし、クロアチアはアドリア海に面し、イタリアの対岸にある。そのためスロベニアもクロアチアも、フランク王国などに支配されていたことがあり、そのときにカトリック教会の信仰が受け入れられてきたのだ。

旧ユーゴスラビアにおいては、それぞれの民族にはそれ固有の信仰があり、そうした信仰が民族としてのアイデンティティを形成する上で重要な意味を持っていた。

旧ユーゴスラビアをめぐる紛争では、クロアチア紛争とボスニア・ヘルツェゴビナ紛争がもっとも熾烈を極めた。クロアチアの場合には、クロアチア人がユーゴスラビアからの独立をめざしセルビア人と対立した。

ボスニア・ヘルツェゴビナではボシュニャック人とクロアチア人が独立をめざし、やはりセルビア人と対立した。セルビア人からしてみると、クロアチアとボスニア・ヘルツェゴビナが独立することは、それぞれの国のなかで自分たちが圧倒的な少数派に転じることを意味した。そうした事態を恐れ、独立に反対したのである。

こうした紛争を経て、旧ユーゴスラビアの諸国は、それぞれが共和国として独立する。そのため、それぞれの国では、多数派の民族と少数派の民族が共存することになった。当然それは、少数派にとっては不利な状況であり、クロアチアではセルビア人が国外に流出し、そのまま戻らないという事態が生まれた。

ボスニア・ヘルツェゴビナでは、紛争が終結した後、国内に、クロアチア人とボシュニャック人によるボスニア・ヘルツェゴビナ連邦とセルビア人によるスルプスカ共和国が生み出され、一つの国のなかに二つの国家体制が併存する形になった。

たしかに、旧ユーゴスラビアでの紛争を宗教戦争としてとらえるのは難しいかもしれない。それぞれの宗教が、その勢力を拡大するために争ったわけではないからである。だが、宗教は勢力を分ける上で決定的な要因になった。民族と宗教が重なり合うことで、強固なアイデンティティが形成され、紛争を深刻なものにしていったことは間違いない。

バルカン半島全体が、ビザンツ帝国なり、オスマン帝国なりの帝国に支配されているのなら、帝国内を自由に行き来できるし、各民族が多数派と少数派に分かれて対立することもない。ところが、帝国が解体され、国民国家が形成されると、民族が多数派と少数派に分かれ、そのあいだの対立が激化する。その点では、帝国の方が、はるかに宗教上の対立を生まないことになる。

国民国家の形成は、ナショナリズムの意識を強めていく。それは、ナショナリズムと結びついた宗教同士の対立へと発展していく。北アイルランドでの紛争については第3章でふれたが、そこには旧ユーゴスラビア諸国の紛争と共通したものがある。北アイルランドの場合、両者の対立が解消されたのは、現代の新しい帝国とも言うべきEUが成立したためだった。

帝国が滅び、ナショナリズムの意識が高まることによって宗教対立が激化する事例としては、もう一つインドの場合をあげることができる。

インドにおけるイスラム教

現在のインドはヒンドゥー教徒が多数を占めるが、一方で、イスラム教徒の数が世界で3番目に多い国でもある。2011年の国勢調査の結果では、ヒンドゥー教徒が79・8%、イスラム教徒が14・2%、キリスト教徒2・3%、シク教徒1・7%、仏教徒0・7%、ジャイナ教徒0・4%となっている。インドは仏教発祥の地でもあるが、いったん仏教は消滅した。現在の仏教徒は、最近になって改宗した人々である。

キリスト教については、イエスの十二使徒の一人であるトマスがインドで布教活動を行い、殉教したという伝承がある。ただ、これは、新約聖書の外典の一つである「トマスによる福音書」に記されていることで、歴史的な根拠のない伝説と考えられる。

インドに本格的にキリスト教がもたらされるのは、日本の場合と事情は同じで、カトリック教会の対抗宗教改革のなかでイエズス会が生まれ、海外布教を推進したからである。ただ、それ以前に、カトリック教会からは異端とされた非カルケドン派のキリスト教会がインドに存在していた。

なお、北東インドには、ナガランド州、ミゾラム州、メガラヤ州など、キリスト教徒が8割前後を占めている州もある。そうした州には少数民族が居住しており、インドがイギリスの植民地になっていた時代にキリスト教が広まった。こうした地域には、それ以前にヒンドゥー教が広まっていなかったために、キリスト教が拡大する余地が生まれたと考えられる。

では、イスラム教はどのようにしてインドに広まったのだろうか。

インドでは、アレクサンドロス大王が侵攻してきた際の混乱を収拾するために、マウリヤ朝が生まれ、西北インドを征服したのが統一王朝のはじまりである。その3代目が、仏教に厚く帰依したアショーカ王だった。

その後、いくつかの王朝がインドを支配するが、7世紀以降は「ラージプート」と呼ばれる地方政権が割拠するようになり、統一が崩れる。そこに8世紀になってイスラム教の勢力が侵攻してくることになる。最初のイスラム政権が奴隷兵士を創始者とする奴隷王朝で、しばらくはイスラム政権が続く。

14世紀末になると、モンゴル人でイスラム教徒のティムールが創始したティムール帝国がインド侵攻を企て、ティムールの5代目の孫であるバーブルがムガル帝国を樹立する。ムガルとはモンゴルを意味する。

このように、インドでイスラム政権が続いたことでイスラム教が浸透してくることになるが、ほかにも、イスラム教徒の商人がインドの港町に居留地を作ったことや、イスラム教の神秘主義であるスーフィズムの教団が浸透してきたことで、インドにイスラム教が広がっていった。

ただ、インドは人口も多く、ムガル帝国などのイスラム政権下において、インドの人々の多くはヒンドゥー教徒のままで、イスラム教には改宗しなかった。したがって、少数派のイスラム教徒が、多数派のヒンドゥー教徒を支配するという形になった。

これは、中国でも見られたことである。中国の多数派は漢民族だが、周辺地域には多くの遊牧民がいて、くり返し中国に攻め入り、政権を奪取するまでに至った。たとえば、元はモンゴル族の政権で、清は満州族の政権である。

イスラム教の場合、前の章で詳しく述べたように、ウンマというイスラム教の共同体を拡大することが目的になっており、社会全体がイスラム法によって律せられる状態を理想とする。

ところがインドでは、イスラム教徒が少数派であり続けたため、その理想は実現されなかった。つまり、インドは、イスラム教徒にとって平和の家とはならず、戦争の家であり続けたのである。

しかも、イスラム帝国では、ユダヤ教徒やキリスト教徒を啓典の民として扱い、人頭税さえ支払えば、それぞれの信仰を持ち続けることを許すという体制がとられた。ユダヤ教徒やキリスト教徒は、イスラム教徒と同じく一神教だが、ヒンドゥー教は多神教である。

当初からイスラム教徒がもっとも敵視したのが多神教徒である。したがって、本来なら多神教のヒンドゥー教徒はジハードの対象となるわけだが、人口の比率から考えて、それは不可能だった。

したがって、イスラム政権は、現実に妥協せざるを得なかった。しかも、政権の安定をはかるために、ヒンドゥー教徒に人頭税さえ課すことができなかった。イスラム教は、本来、神のもとでの平等を根本的な理念としているわけだが、ムガル帝国では、インドに伝統的なカーストの制度を変革することはできず、むしろそれを統治のために利用するしかなかった。

さらには、イスラム教徒のあいだにも、ヒンドゥー教徒の場合と同じようにカーストの区別が生まれる。その点については、拓徹『「デーオバンド派』

とは何か—南アジアのイスラーム過激派？」（笹川平和財団のサイト、Asia Peacebuilding Initiatives に２０１８年７月３日掲載、https://www.spf.org/apbi/news/a_180703.html）で述べられている。

イスラム教におけるカースト

カーストということばは、ポルトガル語、ないしは英語で、インドでは「ヴァルナ・ジャーティ制」と呼ばれる。ヴァルナは、身分をバラモン（祭司）、クシャトリヤ（武士）、ヴァイシャ（平民）、シュードラ（隷属民）に分けるものだが、現実の社会で意味を持つのはジャーティの方で、それは世襲の職業にもとづく内婚集団のことをさす。つまり、あるジャーティに生まれたならば、代々同じ職業につき、その内部で結婚することになるのだ。

イスラム教徒の社会でヴァルナに相当するのが、アシュラーフ、アジュラーフ、アルザルの区別である。アシュラーフがアラブ系、ペルシア系、トルコ系、アフガン系などの外来のイスラム教徒の血を引くとされる高カーストの総称である。アジュラーフは在来のインド人改宗者の子孫で低カーストを意味し、アルザルはヒンドゥー教の不可触民に相当する被差別の最下層である。

ただし、この身分差別は現実的なものではなく、実際に機能しているのはジャーティにあたるものである。拓は、「ドービー（洗濯業）、ローハール（鍛冶屋）、クレーシー（肉屋、屠殺業）といった、主に伝統的に携わる職業によって区別された諸集団がこれに当たり、その多くはヒンドゥー教徒のあいだにも同名・同職の集団がある（この事実から、これらのムスリムは改宗後も自らのカーストの軛から逃れられなかったことが分かる）」と述べている。

ヒンドゥー教徒がイスラム教に改宗するのは、カースト制度の差別から逃れるためと説明されることが多いが、実際にはそうではないようだ。神の前の平等というイスラム教の理念も、インドでは通用しなかったことになる。

インドのカースト制度

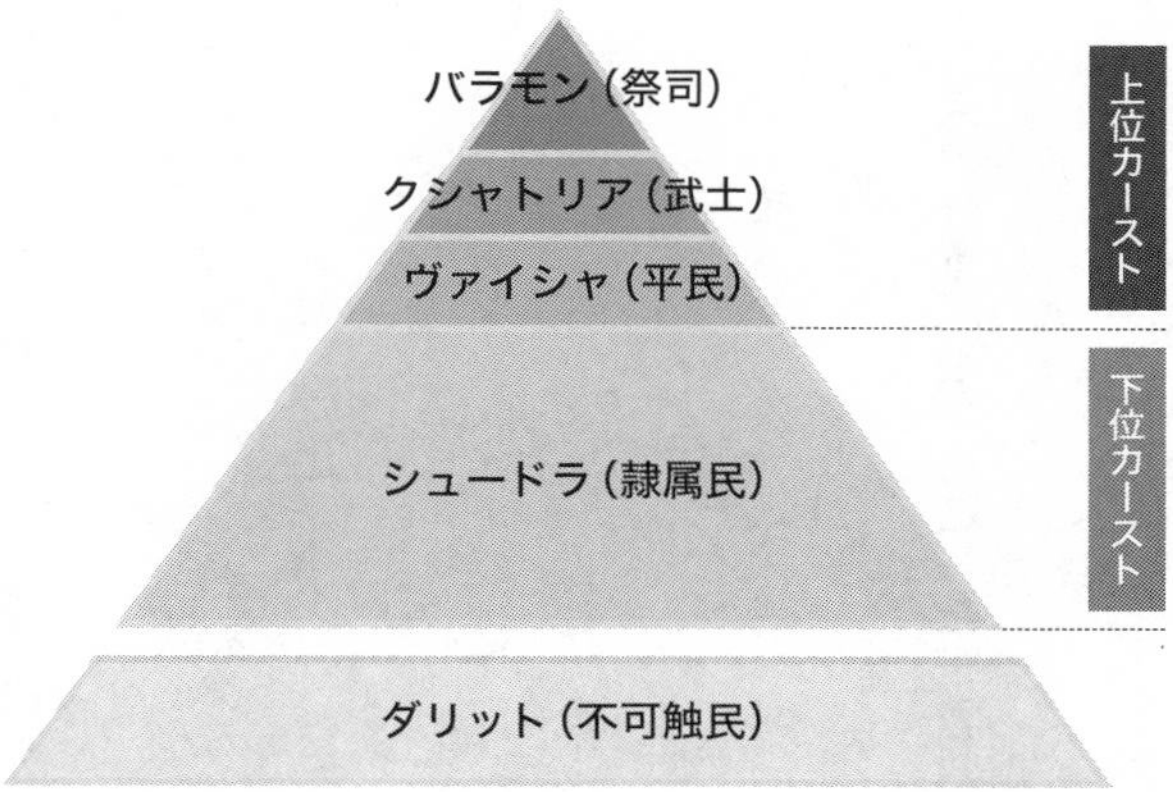

バラモン（祭司）
クシャトリア（武士）
ヴァイシャ（平民）
シュードラ（隷属民）
ダリット（不可触民）
上位カースト
下位カースト

　ただそれは、イスラム教が変容をとげることでインドの社会に定着し、カースト制度を共有することで、ヒンドゥー教徒との共存がはかられてきたと考えることもできる。実際、ムガル帝国の時代には、両者は平和的に共存していた。ただ、ムガル帝国の第6代、アウラングゼーブ帝（在位1658〜1707年）だけは、皇帝自らがイスラム教の厳格な信仰をもっていたため、イスラム法を厳格に適用し、ヒンドゥー教の統制を行い、さらには人頭税まで復活させた。しかし、その結果、政権に対する信頼は失われた。アウラングゼーブ帝の政策は例外的なものだったと言える。

そのムガル帝国を滅亡においやる上で、1857年に起こった「インド大反乱」は決定的に重要な出来事となった。これは、インドを支配するイギリスの東インド会社に対してインド人の傭兵が反乱を起こしたもので、このときにはヒンドゥー教徒とイスラム教徒が共闘し、反乱はインド全体に拡大した。これがムガル帝国の滅亡に結びつくが、それは長く続いたイスラム政権の消滅でもあった。

代わってイギリスがインドを植民地支配するようになり、それが共存してきたヒンドゥー教徒とイスラム教徒の関係を大きく変えていくことになる。

イギリスの分割統治が起こした宗教対立

ムガル帝国が滅亡した後、イギリスはインドを直轄の植民地とし、イギリス国王がインド皇帝を兼任するようになる。当時のインドには、現在のインドのほか、パキスタンやバングラデシュ、さらにはミャンマーも含まれていた。その地域においては、ヒンドゥー教徒やイスラム教徒だけではなく、15世紀末に生まれたシク教徒、ジャイナ教徒、そして仏教徒が含まれていた。シク教の場合には、19世紀のはじめに反乱を起こし、一時はシク王国を建国した。

その後のヒンドゥー教徒とイスラム教徒との対立を激化させる上で、大きな働きをしたのが、イギリスがとった「分割統治」という方法だった。

ムガル帝国が滅亡することで、ヒンドゥー教徒のあいだでは民族意識が高まり、一方、政権を失ったイスラム教徒も少数派としてヒンドゥー教徒に対抗意識を持つようになっていた。

こうした二つの宗教の対立という状況を踏まえ、イギリスは、ヒンドゥー教徒を中心に組織され、イギリスの植民地支配に抵抗する「国民会議派」に対抗させるために、「全インド・ムスリム同盟」を結成させた。これによって、ヒンドゥー教とイスラム教のあいだに明確な形で対抗関係が生まれることになった。
ムガル帝国の時代には大きな問題にならなかったヒンドゥー教とイスラム教の対立は、イギリスの植民地時代に支配の道具として利用され、その後深刻な宗教対立を生むことになる。

戦後のインドは、イギリスの植民地から脱して独立を果たす。1947年7月にイギリス議会はインドの独立を認めたが、その際に、ヒンドゥー教徒主体のインド連邦と、イスラム教徒主体のパキスタンという形で分離独立が果たされた。その時点では、現在はバングラデシュとして独立している東パキスタンもパキスタンに含まれていた。

ただ、大きな問題は、インド連邦の土地にはイスラム教徒が、逆にパキスタンにはヒンドゥー教徒が数多く生活していたことである。森本達雄『インド独立史』(中公新書)では、このとき起こったことについて次のように述べられている。

「分離独立はますます民衆を宗教的熱狂へとかりたてた。復讐は復讐を呼び、ついに住民は死か逃亡かの二者択一をせまられた。こうして世界史上まれにみる宗教による住民の大移動が始まったのである。東パンジャーブ（インド領）からはムスリムの難民の群れが西パンジャーブ（パキスタン領）に向かい、西からはヒンドゥー教徒・シク教徒の難民が東に流れていった。この大移動で国境を越えた者の総数は、１２００万とも１５００万とも言われている」（１９８～１９９頁）。

このような形でパキスタンが分離独立したこともあり、後世に対するその影響は相当に大きなものになった。インドとパキスタンは、カシミール地方の帰属をめぐって対立し、３回にわたってインド・パキスタン戦争が起こる。

１９４７年から１９４９年にかけての第１次、１９６５年から１９６６年にかけての第２次、１９７１年の第３次である。さらにカシミールは中国とも国境を接しており、第１次と第２次のインド・パキスタン戦争のあいだには、１９５９

年から１９６２年にかけて中印国境紛争も勃発している。

カシミールは交通の要衝であり、その点で重要な地域だった。アショーカ王の時代には仏教も伝えられたが、次第にヒンドゥー教が優勢になり、８世紀にはヒンドゥー教を奉じるカシミール王国が成立した。

ところが、インドにイスラム政権が誕生したことで、この地域のイスラム化が進んだ。ムガル帝国もカシミールを支配するようになる。ただ、19世紀にはシク教がこの地に進出し、カシミールはシク王国の支配下に入る。それが、イギリスがインドを植民地支配するようになると、ヒンドゥー教徒を藩主とするジャンムー・カシミール藩王国が成立する。ただし、藩王国の住民の多くはイスラム教徒だった。ムガル帝国とは逆の関係になっていたことになる。

インド・パキスタン戦争

1947年にインドとパキスタンの分離独立が行われた際、カシミールの藩主は、ヒンドゥー教徒であるためにインドに帰属しようとした。当然、イスラム教徒の住民はそれに反対する。これによってカシミールでは反乱が起こり、インドとパキスタン双方がカシミールの領有を主張したことで、第1次インド・パキスタン戦争に発展する。

インドの大きな課題は、宗教間の融和であり、そのことはインドの国旗にも示されている。国旗は3色で、中央にはチャクラ（車輪）が描かれ、サフラン色はヒンドゥー教を、緑色はイスラム教を示し、中間の白は平和を象徴している。

第1次のインド・パキスタン戦争は、この国旗に示された国家の理念を実現することに奔走したマハトマ・ガンジーが、ヒンドゥー・ナショナリズムの団体、民族奉仕団（RSS）のメンバーに射殺されたことで終息にむかい、1948年

12月に休戦が成立した。

これによって、第1次戦争における前線が事実上の国境線となったものの、カシミールをめぐるインドとパキスタンの対立が解消したわけではなく、戦争は続き、国境はいまだに確定していない。

しかも2019年には、インドのモディ首相が、70年前からジャンムー・カシミール州に与えていた自治権を剥奪してしまった。モディの所属するインド人民党(BJP)は、ヒンドゥー・ナショナリズムの立場をとり、ジャンムー・カシミール州に対して自治権を与えることは、インドの統合を妨げるという主張を展開してきた。カシミールをめぐるインドとパキスタンの対立は現在も続いている。

こうしたことは、インドとパキスタンの対外関係にかかわることだが、インド人民党のようなヒンドゥー・ナショナリズムの台頭は、インド国内におけるヒンドゥー教徒とイスラム教徒の対立を激化させることにも結びついてきた。

民族奉仕団が誕生したのは、インドがイギリスの植民地であった1925年のことで、インド人民党はこれを母体に、1980年代末に台頭した。BJPは1998年にアタル・ビハーリー・ヴァージペーイーを首相とする連立政権を組織した。2004年にはインド国民会議を中心とする勢力にいったんは政権を奪われ、下野したものの、2014年からは再び政権の座についており、2019年5月の下院選挙では、BJP単独で過半数の議席を占めた。

インド国内の宗教対立

戦後のインドについて注目しなければならないのは、民法のあり方である。憲法では、カーストによる差別については禁止されたが、民法の場合には統一されず、ヒンドゥー家族法とイスラム家族法が並立する形になった。イスラム家族法が制定されたのは、イスラム教徒はイスラム法に従って生活するからである。しかし、インドの統合を志向するヒンドゥー・ナショナリストは、宗教別の家族法を廃止し、統一民法を制定するよう主張してきた。

ここにインド社会の複雑さが示されているが、1992年12月には北インドのアヨディヤにおいて、ヒンドゥー教徒とイスラム教徒が武力衝突し、多数の犠牲者が生まれるという事件が起こる。

12月6日、アヨディヤには20万人のヒンドゥー教徒が集結した。そのうち数千の群集が、警察の停止線を突破し、町外れの小高い丘に建っていたイスラム教のモスクに突進した。群集はモスクのドームによじ登り、ハンマーでドームをたたき割り、鉄棒も用いてそれを破壊してしまったのだ。

このことがインド国内に伝わると、ヒンドゥー教徒とイスラム教徒のあいだに緊張が走り、それが暴動に発展した。暴動は、首都のデリーをはじめ、カルカッタ(現コルカタ)などの北インドの主要都市、さらには中南部の諸都市に及んだ。この暴動では2000人が死亡したが、大半はイスラム教徒であったとされる。

このアヨディヤの事件には、インドの神話が深くかかわっていた。その点では、かなり特異な事件であった。

インドには、古代の叙事詩として「ラーマーヤナ」と「マハーバーラタ」が伝えられてきた。「ラーマーヤナ」にはラーマという英雄が登場する。ラーマの生誕の地がアヨディヤで、そこにはラーマ寺院があったという伝承がある。

ところが、ムガル帝国の初代皇帝であったバーブルの時代に、イスラム教の皇帝の命令によってそのラーマ寺院が破壊され、そこにモスクが建設された。これも伝説なのだが、次第に事実として信じられるようになり、イギリスの支配下にあった１９３４年には、イスラム教徒が犠牲祭で牛を屠殺したことをきっかけに、アヨディヤのモスクが攻撃され、多くのイスラム教徒が殺害されるという事件が起こった。ヒンドゥー教徒は牛を神聖視しているからだ。

さらに、独立後の１９４９年12月には、ラーマの神像がモスクの内部におかれ、それが「ラーマ神出現の奇蹟」としてもてはやされるという出来事も起こった（木村雅昭『インド現代政治―その光と影』世界思想社）。

しかし、こうした伝説やその類のことがあったとしても、それが直接アヨディヤの事件に結びついたわけではない。そこにはきっかけとなる具体的な出来事があった。

ヒンドゥー・ナショナリズム

それはアヨディヤでの事件が起こる5年前の1987年1月のことである。インドの国営放送局ドゥールダルシャンは、テレビドラマとして「ラーマーヤナ」の放送をはじめた。すると、この番組は80パーセントを超える視聴率を獲得した。インドでは、まだこの時代、各家庭にテレビが普及しているわけではなかった。人々は広場や店先におかれたテレビに釘付けになったという。

テレビの草創期に高視聴率を獲得する番組が出現するのは、かつての日本でも同じだが、この「ラーマーヤナ」についてはインドでしか起こらないような事態が生まれた。物語で神々を演じた役者には神が顕現したととらえられた。ヒンドゥー教の世界では、化身（アヴァター）の考え方があり、人間が神の化身とされる伝統がある。

そのため、放送がはじまる前にテレビの受信機は線香やロウソクによって聖別され、放送中には砂糖菓子が受信機の前に供えられ、放送が終わると、それがお下がりとしてふるまわれた（中島岳志『ナショナリズムと宗教』文春学藝ライブラリー）。

このようにテレビ番組を通して、ラーマやアヨディヤに対する関心が高まり、それを背景にして、ヒンドゥー・ナショナリズムの団体、世界ヒンドゥー協会（VHP）は、アヨディヤで寺院を建築するためだとして全国からレンガを募る運動をはじめた。

さらに、神話さながらと言うか、ドラマさながらの演出を施すような政治家が出現した。当時のインド人民党の党首であったL・K・アドヴァニが、「山車行列」（ラタ・ヤートラ）を行ったのだ。

インド西部のグジャラート州には、ソームナートというシヴァ神を祀るヒンドゥー教の聖地がある。そこにあったヒンドゥー教の寺院はムガル帝国の弾圧によって荒廃していたものの再建されていた。アドヴァニ党首は、トヨタの車を山車に仕立てあげ、自らは弓矢を手に持ち、ラーマとなってそのソームナートを出発しウッタルプラデシュ州にあるアヨディヤをめざした。

すると、各地では山車を一目見ようと多くの人たちが街道に立ち並び、その間に興奮が巻き起こった。アドヴァニ自身は途中で逮捕されてしまうが、その2年後に、これに刺激を受け、ヒンドゥー教徒がアヨディヤのモスクに突入しようとして警官と衝突し、多数の死傷者が出た。これがやがて、1992年12月の事件に結びつくことになる（前掲『インド現代政治―その光と影』）。

アドヴァニによる山車行列が興奮をもたらした背景には、もう一つの古代叙事詩である「マハーバーラタ」がやはりドゥールダルシャンで放送されたことがあった。このドラマは、山車行列が行われたのと同じ1990年1月に放送を終了した。「マハーバーラタ」は、パーンダヴァ族とカウラヴァ族という架空の部族の対立を軸とした物語である。

イスラム教徒の側からすれば、アヨディヤの事件は自分たちが被害者であり、モスクの破壊はヒンドゥー教徒による犯罪になる。その点ではモスクの再建が認められて当然ということになるが、2019年11月、インドの最高裁判所は、アヨディヤにヒンドゥー教徒の寺院を建設するために、イスラム教徒に対して土地を引き渡すことを命じる判決を下した。

モスクを再建するために、イスラム教徒には別の土地が与えられることになったものの、イスラム教徒には不当な判決である。この判決には、インドにおいて、ヒンドゥー・ナショナリズムがより大きな力を持つようになったことが関係しているに違いない。

近代という社会は、さまざまな点で宗教対立を煽る側面を持っている。いまさら帝国の時代に逆戻りすることは難しいが、帝国が持っていた、諸宗教を共存させる知恵については、私たちもそれを学んでおく必要があるのではないだろうか。

おわりに

本書ではここまで世界で起こった宗教戦争について見てきた。それを改めて振りかえってみたい。

根本で起こっている事態は、世界宗教の拡大であり、それにともなって民族宗教が駆逐されることである。世界宗教の方が勢力も大きく圧倒的に優位な立場にあるため、「非対称」の関係があり、民族宗教とのあいだに宗教戦争は起こらない。

本格的な宗教戦争は、世界宗教同士が衝突したときに起こる。その点では、11世紀の終わりにはじまる十字軍は最初の宗教戦争であったととらえることができる。

十字軍は、教皇ウルバヌス2世の聖地エルサレム奪還の呼びかけによってはじまったもので、イスラム教の側からすれば不意を打たれたものだった。その分、準備もなく、またイスラム教の世界が統一がとれていなかったこともあり、いったんはエルサレムを奪われ、エルサレム王国などの十字軍国家が建設された。エルサレム王国自体は200年ももたなかったが、十字軍の領地はキプロス島や、コンスタンティノープルをはじめとするビザンツ帝国の領土、あるいはギリシアに及んでおり、最終的にそれが消滅したのは18世紀になってからだった。

十字軍の影響は大きく、キリスト教の側には、その時点で優位にあったイスラム教の文明を取り入れ、12世紀ルネサンスや本格的なルネサンスを勃興させる契機にもなった。イスラム教の側からしたら、キリスト教世界に対する恐れが増し、そのトラウマは現代にまで持ち越されることになった。

その後起こった深刻な宗教戦争としては、宗教改革が引き起こしたヨーロッパにおけるカトリックとプロテスタントとの激しい抗争があげられる。とくに、フランスにおける狭義の宗教戦争や、ドイツにおける三十年戦争は激烈を極め、犠性も大きかった。
　カトリックもプロテスタントも同じキリスト教であり、究極の信仰対象は共通しているはずだ。ところが、宗教改革は、時代が中世から近世へと転換するなかで進んだ大きな社会変動が引き起こしたもので、旧来の体制を守り通そうとするカトリックと、それを打破し新しい体制を作ろうとするプロテスタントとの対立は深刻化し、結局はヨーロッパ全体がそこに巻き込まれることとなった。その影響は極めて大きい。

　宗教をめぐる対立が激烈なものになるのは、そこに究極的な価値を持つ信仰がかかわってくるからで、異なる宗教同士の戦争は聖戦として神聖化される。聖戦の考え方としてもっとも名高く、また現在にまで影響を与えているのがイスラム教のジハードだが、その考え方が生まれてくるのは、イスラム教が法の宗教であり、イスラム法が行き渡った共同体、ウンマの建設を重視するからだ。

聖戦を仕掛けることで、イスラム帝国が生まれ、それは領土を大きく広げ、それにともなってイスラム教の信仰が広まっていった。しかし、イスラム教には、ユダヤ教徒やキリスト教徒を同じ神の啓示を受けた啓典の民としてとらえる考え方があり、異なる信仰を共存させる仕組みがととのえられていた。これは他の宗教にはないもので、だからこそイスラム帝国の拡大が可能だったとも言える。軋轢が起こらないからだ。

ただ、モンゴル帝国の襲来や、近代の社会でイスラム教が広がった地域が植民地化されることで、ジハードの考え方は先鋭化し、過激派によるテロを生むことにもつながった。

最後に取り上げたのは、バルカン半島やインドにおける宗教戦争である。

バルカン半島は、最初はビザンツ帝国によって正教会の信仰が広がり、次にはビザンツ帝国を打倒したオスマン帝国によってイスラム教が広がった。しかも、半島のなかでヴァチカンのあるイタリアに近い地域ではカトリックの信仰も広まっており、三つの宗教が並び立つ事態が生まれた。

オスマン帝国の時代には、異なる信仰が共存するだけではなく、融合し混淆する事態さえ起こっていた。民衆にとっては、ご利益さえ得られればいいわけで、教義の違いなどにはさほど関心がむけられなかった。そもそも違いがあるという認識さえなかった。

ところが、国民国家が誕生すると、それぞれの国のなかに宗教的な多数派と少数派が生まれ、激しい宗教対立が起こることとなった。ユーゴスラビア紛争が深刻化したのも、そこに大きな原因があった。国家の独立や統合によって、少数派に追い込まれた宗教勢力は激しく抵抗するのである。

これがかつてのインドに見られたように、支配者の信仰が少数派で、国民の信仰が多数派である場合には、少数派の信仰を押しつけるわけにもいかず、激しい対立は生じない。

ところが、インドを植民地化したイギリスは、インドの国民全体が共闘して植民地支配に抵抗しないよう、少数派のイスラム教徒を支援し、多数派のヒンドゥー教徒と対抗させた。

これによって、インドにおけるヒンドゥー教徒とイスラム教徒との対立が生まれ、戦後の分離独立や3次にわたるインド・パキスタン戦争、さらにはインド国内における抗争事件の発生に結びついた。近年のインドでは、ヒンドゥー・ナショナリズムが高まりを見せ、そうした理念を強調する政党が政権の座にあり、イスラム教徒との対立の構図は消えていない。

先進国においては、宗教離れという現象が進行している。しかし、正教会やイスラム教の信仰が広がった地域においては、まだそうした事態は起こっておらず、宗教が果たしている役割は大きい。したがって、「はじめに」で述べたように、ロシアのウクライナ侵攻の背景に正教会の信仰がかかわっていたりする。宗教戦争や宗教対立は、決して過去の問題になっているわけではない。むしろ、国民国家というあり方が、多数派と少数派を分断し、宗教対立を煽っている面がある。

パレスチナとイスラエルとの対立についても、その大もとをたどれば、ユダヤ教を信奉するユダヤ人が国を失い、「ディアスポラ（離散）」の状況に追い込まれたことに遡る。各地に散ったユダヤ人は、それぞれの地域に同化するのではなく、信仰にもとづいて結束し、外部からの迫害を耐え抜いた。

それは、ユダヤ人のあいだに、自分たちは神によって選ばれた民族であるという選民意識をはぐくむことになったが、さらなる迫害や差別を受ける原因にもなった。ヨーロッパでは、ゲットーのなかに封じ込められることもあれば、時の政権の都合で追放されることもあった。スペインで吹き荒れた異端審問において、その対象になったのは主に、ユダヤ教からキリスト教に改宗しながらも、ユダヤ教の信仰を持ち続けているのではないかと疑われた「コンベルソ」と呼ばれるユダヤ人であった。

ユダヤ人に対する集団虐殺としては、ナチスによるものがもっともよく知られており、600万人がその犠牲になったとされる。だが、それ以前から、ロシアや東ヨーロッパでは、ユダヤ人が集団虐殺される「ポグロム」がくり返し起こっており、それが、ユダヤ人国家を建設する「シオニズム」の運動に発展した。

第2次世界大戦後になると、そうしたユダヤ人に対する迫害を反省する声が高まり、ユダヤ人国家としてのイスラエルの建国に結びつくが、その場となったパレスチナにはすでにアラブ人が住んでいた。そのため、イスラエルと周辺のアラブ諸国とのあいだでは「中東戦争」がくり返されてきた。パレスチナとイスラエルとの対立には、こうした宗教も含めた複雑な歴史がからんでいるのである。

では、宗教戦争や宗教対立を避けるための方策はあるのだろうか。最後にそのことを考えてみたい。

何より重要なことは、異なる信仰を持つ者同士が同じ国、同じ地域に生活していたとしても、平和的に共存する時代もあれば、激しく対立する時代もあるということである。必ず対立が起こるわけではない。その国や地域のおかれた状況が変化することで、対立が起こり、それが激化する。

とくに対立が起こりやすいのは、多数派と少数派の分断が起こったときである。多数派が、その信仰を少数派に押しつけようとしたり、独立などによって少数派に転じる危機が生じたとき、抵抗が生まれ、対立が激化する。

対立を弱める方策を考える上では、諸宗教が共存する帝国のあり方を見直す必要がある。帝国では、その安定をはかるために、信仰を共存させる仕組みを作り上げていかざるを得ない。多数派なり、支配層となった少数派なりが自分たちの信仰を強制すれば、そこに対立が生まれ、それが帝国の瓦解に結びつくからである。

帝国の時代は去ったものの、ＥＵなどは、現代型の新しい帝国としてとらえることができる。ＥＵが生まれたのも、ヨーロッパでは、宗教戦争を含め、国同士が戦争をくり返してきたからである。それをいかに緩和するかが課題であり、EUでは、加盟国の人間はその領域内を自由に行き来できるようになった。その点は帝国と同様だ。それが、北アイルランドにおける宗教対立の緩和に結びついた点は注目される。

もちろん、イギリスが離脱するなど、EUがさまざまな問題を抱えていることは事実である。経済的に豊かなヨーロッパでこそできることで、他の地域において同様の試みに打って出ることは容易ではない。だが、EUのあり方が、宗教戦争や宗教対立の鎮静化のための重要な方策であることは間違いがない。

もちろん、こうした方策は、現在のインドでの宗教対立を解消するには役立たない。ヒンドゥー教徒が多数派で、イスラム教徒が少数派という事態に変化が訪れることはないからだ。ムガル帝国の時代のように、イスラム教徒が政権を担う事態は、インドが民主化されている以上あり得ない。

その点で、今後もインド国内において、ヒンドゥー教徒とイスラム教徒が対立することはあり得るだろう。そこに影響を与えるとしたら、インドの周辺にあるイスラム教の国々が力をつけ、その力がインド国内にも及んだときになるのではないか。

こうした宗教戦争や宗教対立について、日本人は対岸の火事として見ているところがある。だが、これからの日本が人口減から労働力の不足を補うために、移民を積極的に受け入れるようになれば、国内に異なる宗教を信仰する人々の集団が生活するようになる。

そうした事態が訪れたとき、私たちはどうするのか。それが宗教対立に結びつかないようにするにはどうしたらいいのか。今後、私たちはその問題に直面する可能性が高い。その点で、宗教対立の歴史とその原因、意味を考えることは極めて重要なことなのである。

●著者プロフィール

島田 裕巳（しまだ・ひろみ）

1953年東京生まれ。作家、宗教学者。1976年東京大学文学部宗教学科卒業。同大学大学院人文科学研究科修士課程修了。1984年同博士課程修了（宗教学専攻）。放送教育開発センター助教授、日本女子大学教授、東京大学先端科学技術研究センター特任研究員を経て、東京女子大学非常勤講師。著書に『創価学会』（新潮新書）、『帝国と宗教』（講談社現代新書）、『葬式は、要らない』（幻冬舎新書）、『教養として学んでおきたい仏教』（マイナビ新書）、『世界史が苦手な娘に宗教史を教えたら東大に合格した』（読書人）ほか多数。

マイナビ新書

宗教戦争で世界を読む

2024年1月31日　初版第1刷発行

著　者　島田裕巳
発行者　角竹輝紀
発行所　株式会社マイナビ出版
〒101-0003　東京都千代田区一ツ橋2-6-3　一ツ橋ビル 2F
TEL 0480-38-6872（注文専用ダイヤル）
TEL 03-3556-2731（販売部）
TEL 03-3556-2735（編集部）
E-Mail pc-books@mynavi.jp（質問用）
URL https://book.mynavi.jp/

装幀　小口翔平＋青山風音（tobufune）
DTP　富宗治
印刷・製本　中央精版印刷株式会社

　ISBN978-4-8399-8386-4

Printed in Japan